Les ROSES Anglaises

Les ROSES Anglaises

DAVID AUSTIN

PHOTOGRAPHIES DE CLAY PERRY

BORDAS

À ma famille et à mon équipe sans lesquelles
les roses anglaises n'auraient pas vu le jour

Édition originale

English Roses
© Conran Octopus Limited, 1993
Texte © David Austin, 1993
Photographies © Clay Perry, 1993
Première publication en Grande-Bretagne en 1993
par Conran Octopus Limited

Édition française

Traduction et adaptation de Philippe Bonduel

Édition : Catherine Delprat, Bernadette Jacquet
Corrections : François Cerrutti
Fabrication : Claire Svirmickas
Composition : Nord Compo

© Bordas, Paris, 1995
I.S.B.N. 2-04-027048-5
Dépôt légal : février 1995
Imprimé en Italie

Sommaire

INTRODUCTION

POUR CEUX qui ignorent le terme «English Roses» (roses anglaises), disons que c'est le nom que j'ai donné à une nouvelle race de rosiers née d'un croisement de rosiers anciens des XVIIIe et XIXe siècles (les rosiers Gallica, de Damas, Portland et Bourbon) avec des rosiers modernes (hybrides de Thé et Floribundas). Les roses anglaises ont vu le jour en 1969, avec quelques avant-premières cependant – 'Constance Spry' en 1961, 'Chianti' en 1967 et 'Shropshire Lass' en 1968 – qui n'étaient, toutefois que des étapes vers les vraies roses anglaises. Depuis lors, plus de quatre-vingts variétés ont été créées et diffusées et sont maintenant distribuées dans de nombreux pays. Bien que les roses anglaises n'aient pas encore reçu de statut reconnu de la part de la Fédération internationale des sociétés de roses – instance qui fait autorité mondialement pour le classement des rosiers –, c'est sous ce nom qu'on les connaît – et les cultive – dans le monde entier.

Si j'ai choisi ce nom, roses anglaises, c'est que, de tous les pays, l'Angleterre a toujours eu des liens particuliers avec les roses. Elles ont servi d'emblème à ses rois au Moyen Âge comme à ses partis politiques contemporains; elles ont inspiré ses poètes et ses peintres dans leurs œuvres. «Rose» correspond toujours à un canon particulier de la beauté anglaise. Puisqu'il existe des roses d'Écosse et galliques, pourquoi pas des roses anglaises? Ce nom s'est révélé être une réussite non seulement auprès du public anglais, mais

De bons rosiers portant des fleurs odorantes au charme désuet : c'est déjà là un but intéressant. Mais les roses anglaises offrent en outre quelques qualités supplémentaires.

également – et je n'y avais pas songé au début – auprès des jardiniers de toutes origines.

Les roses anglaises ont les caractéristiques suivantes : elles allient la forme de la fleur, le parfum et l'aspect général d'un rosier ancien à la gamme des coloris et à la floribondité (la remontance) d'un rosier hybride de Thé ou Floribunda. Ces rosiers ont également conservé beaucoup du port en touffe, arbustif, des vieilles variétés. Tous ces aspects sont traités en détail dans les pages suivantes. Un regard attentif aux illustrations vous montrera parfois mieux que des mots les différences et similitudes des rosiers anciens, modernes et des roses anglaises.

La mise au point des roses anglaises a été menée aux pépinières David Austin en Shropshire, où la tâche se poursuit de nos jours. Quand je l'ai commencée il y a quelque trente ans, il m'est apparu, comme à beaucoup

de gens, à l'époque, que les rosiers anciens possédaient un charme et une personnalité qui faisaient défaut aux hybrides récents. Bien sûr, les rosiers modernes ne manquaient ni de beauté ni de qualités, mais quelle dissonance d'avec leurs ancêtres. En outre, les rosiers anciens avaient pour eux une gamme et une puissance de parfum devenues extrêmement rares chez leurs modernes enfants.

Le fossé séparant ces deux catégories s'était alors agrandi. Au point que les amateurs de roses se divisent, aujourd'hui, en deux clans – ceux qui préfèrent les anciennes, et ceux qui ont choisi les modernes. C'est regrettable, beaucoup de rosiers ayant une place justifiée au jardin. J'avoue avoir eu plutôt un faible pour les rosiers anciens. Mais je leur reconnais deux défauts majeurs face aux formes modernes. Leur éventail de coloris est restreint, presque limité à une gamme de

LA CLASSIFICATION DES ROSIERS

LE PROBLÈME de la classification des rosiers réapparaît chaque fois que naît un nouveau groupe aux caractéristiques suffisamment distinctes. Ce sujet est plus complexe qu'il n'y paraît. Les origines des variétés cultivées sont désormais lointaines et enchevêtrées. Bien que des catégories soient utilisées depuis un certain temps pour les classes principales des rosiers – qui servent surtout de guide au nomenclateur qui doit les identifier –, elles n'ont rien d'infaillible. La frontière est souvent bien mince entre un groupe et l'autre, et certaines variétés appartenant à plusieurs groupes, il est impossible de les classer.

La confusion tient pour l'essentiel, à la généalogie complexe des rosiers. Durant des milliers d'années, les rosiers sauvages et leurs hybrides naturels furent fécondés par Dame nature (ces espèces types sont, de nos jours, d'un classement plutôt aisé, facilité par leurs caractéristiques botaniques). Plus tard, l'homme améliora les techniques de croisement par pollinisation manuelle, mais personne ne songea à prendre note des espèces employées. Notre connaissance de

l'histoire des rosiers est donc condamnée à rester incomplète. Aujourd'hui, quand on marie deux roses, même de lignées génétiques répertoriées, le résultat est parfois inattendu et certains caractères, profondément enfouis dans leur passé, peuvent réapparaître de façon déroutante.

Classer comme « rosiers buissons modernes », ce qu'on fait généralement, la plupart des rosiers bas obtenus à partir de l'introduction des hybrides de Thé depuis la dernière moitié du XIXe siècle ne fait que créer des problèmes. Cette vaste catégorie recouvre en effet des plantes hétéroclites, dotées de peu de caractères communs. On y trouve aussi bien des Rugosas que des Floribundas élevés ; de diverses hauteurs, des fleurs tantôt simples ou tantôt doubles, et un port dressé ou étalé. Seule une observation attentive permet de décider si une nouvelle obtention possède des caractères originaux. Bien que les hybrideurs nous assurent que les rosiers ne cessent d'évoluer, ce n'est que quand les rosiéristes sont unanimes qu'une nouvelle classe authentique apparaît. La reconnaissance officielle peut alors avoir lieu.

*Les couleurs douces des roses anglaises autorisent de somptueux bouquets
dans la maison ; cette marmite est ornée de 'Golden Celebration',
'The Alexandra Rose' et 'Evelyn'.*

blancs, roses, pourpres et mauves. Il n'y a presque pas de jaunes, d'abricot ou autres tons proches. Quant à l'écarlate franc, il n'apparaît qu'avec les hybrides remontants de la fin du XIXᵉ siècle qui sont en fait les premiers rosiers modernes. Le second défaut des rosiers anciens est qu'ils ne fleurissent qu'une fois, en début d'été. À l'exception de quelques Bourbon et Portland, ils offrent alors un spectacle magnifique, mais éphémère. Il n'est certes pas indispensable d'avoir des rosiers remontants – d'autres plantes ne fleurissent qu'une fois dans la saison – mais c'est tout de même vivement conseillé, surtout dans un petit jardin, où la place manque. Dans un petit espace on ne retient que les plantes performantes, et un rosier fleuri pendant quinze jours à trois semaines, au plus, devient un luxe effréné. Les jardiniers, bien souvent, n'envisageront même pas de cultiver un rosier non remontant.

C'est fort de tout cela que j'entrepris de mettre au point les roses anglaises. L'idée était de créer des roses rondes ou en coupe, à l'ancienne, fortement parfumées, et de leur donner la gamme de coloris et la bonne remontance des hybrides de Thé et des Floribundas. En même temps, je souhaitais conserver dans la silhouette des arbustes la personnalité des rosiers anciens, de même que leurs port et végétation plus libres : en bref, je voulais des rosiers anciens «modernes», si je puis me permettre une telle expression ou bien marier les anciens et les modernes, si l'on préfère. En peu de mots, c'est ce qu'ont réussi les roses anglaises. Il ne s'agissait pas, bien sûr, de refaire des rosiers anciens. Ces derniers possèdent leur propre patrimoine génétique et, mêlés à d'autres rosiers, ils ne seront jamais les mêmes. Quand on veut des rosiers Gallica supplémentaires, par exemple, il faut travailler uniquement dans le groupe Gallica – ce qui est parfaitement réalisable et il en va de même pour les autres groupes.

De fait, je ne souhaitais pas obtenir des «copies» de rosiers anciens, mais bien plutôt quelque chose d'original. Plus exactement, je voulais des roses ayant une touche ancienne, avec quelque chose de la grâce et de la beauté simple des vieilles variétés – et, si possible, davantage de qualités.

UNE LONGUE TRADITION

L'histoire de la rose se confond avec les préludes de la civilisation – et même au-delà – et l'attrait de cette fleur sur l'homme n'a pas cessé de se développer jusqu'à nos jours. Je décris dans ce chapitre les divers groupes de rosiers du passé, toujours cultivés dans nos jardins, aussi bien que les catégories modernes populaires. Nombre de ces groupes, anciens ou modernes, ont joué un rôle dans l'histoire des roses anglaises.

LA ROSE a accompagné l'homme dès l'apparition de celui-ci sur terre et son histoire précède la nôtre, à l'évidence, de plusieurs milliers d'années. La première rose sauvage était une fleur simple à cinq pétales (voire quatre, dans un cas), poussant sur tous les continents de l'hémisphère Nord. Plus tard, des formes doubles ou demi-doubles apparurent. L'évolution de la rose se fit graduellement au fil des siècles, tout d'abord à travers des mutations naturelles puis grâce à l'ingéniosité humaine, qui mit au point les techniques de multiplication artificielle. Dans les cent dernières années, environ, l'hybridation des rosiers a atteint un niveau de perfection inconnu jusqu'alors. On peut douter que nos ancêtres reconnaîtraient des roses dans certaines de nos modernes hybrides de Thé. Pour comprendre comment s'est faite l'évolution de la rose – et plus particulièrement comment les roses anglaises ont pu voir le jour – il faut remonter le long des branches de l'arbre généalogique du genre.

'Kathryn Morley' (à gauche) est une charmante rose anglaise dotée de nombreuses qualités de rose ancienne que nous sommes parvenus à reproduire dans notre programme d'hybridation.

Les premières roses cultivées virent le jour au Moyen-Orient d'où, par le biais de la Grèce et de la Rome antiques, elles en vinrent à coloniser toute l'Europe. On pense que les croisés des XIIe et XIIIe siècles en ont rapporté des plants de Terre sainte chez nous. Vrai ou faux, ce qui est sûr, c'est qu'au Moyen Âge les rosiers étaient très cultivés dans tous les monastères d'Europe. Bien que ce fût essentiellement pour leurs vertus médicinales, nul doute qu'on y appréciait leur beauté et leur parfum.

Ces rosiers sont ceux qu'on trouve dans les groupes appelés de nos jours Gallica, de Damas et Alba. Possédant tous, au départ, des fleurs en forme d'églantine simple, ils ont bientôt développé des inflorescences « pleines » (à pétales abondants), ce qui fait, de nos jours, que ces trois groupes ont beaucoup de points communs : fleurs en rosettes serrées, très denses, aux nombreux pétales, port buissonnant et feuillage mat – caractéristiques que l'on aperçoit dans beaucoup d'illustrations de ce livre. Au fil des siècles, de nouvelles variétés apparurent, le plus souvent par hasard. Vers le XVIIIe siècle, des jardiniers et des pépiniéristes, surtout français, commencèrent à semer dans le but d'hybrider et sélectionner méthodiquement les meilleurs résultats. Les progrès dans la création de nouvelles variétés se firent alors rapidement.

C'est entre le XVIIᵉ et le XVIIIᵉ siècle qu'apparut un autre groupe apparenté, celui des Centifolias. Les pépiniéristes français, et surtout hollandais, en firent grand usage. Comme les rosiers Gallica, de Damas et Alba, les rosiers Centifolia (littéralement : « à cent pétales ») possédaient de belles fleurs, mais également une belle végétation et, ce qui n'est pas négligeable, un solide parfum. L'arrivée de ce groupe permit à la rose de devenir la plus prisée des fleurs, ce qu'elle est restée depuis.

'Tuscany Superb' (Gallica). Parmi les roses européennes, celle-ci, avec 'Tuscany' (voir page 25) approche le mieux le cramoisi – tous les autres rouges tirant vers le pourpre.

LES ROSIERS GALLICA

Les Gallicas sont sans doute les plus anciennes de ces quatre groupes de roses. Bien avant qu'elles ne reçoivent leur nom actuel, leurs ancêtres étaient cultivés par les Grecs et les Romains. En 1629, John Parkinson, grand botaniste et jardinier anglais, en répertoriait douze variétés. Peu après, les Hollandais commencèrent les semis pour la recherche méthodique de nouveautés. La France ne tarda pas à s'y mettre également, et l'hybridation eut lieu à grande échelle ; le groupe qu'on allait connaître sous le nom de Gallica (roses galliques) entra alors en scène. En 1800, on en comptait plus d'un millier de variétés. La plupart ont été perdues à jamais, mais de cette époque, c'est le groupe qui conserve le plus de survivantes.

Les Gallicas forment généralement des buissons bas, n'excédant pas 1,20 m de haut, aux tiges élancées et aux nombreuses ramilles minces. Cultivés francs de pied, ils drageonnent abondamment, formant un taillis dense. La gamme des coloris va du rose foncé au pourpre, mais passe rarement par le franc écarlate. Les fleurs portent des pétales nombreux qui leur donnent une forme de pompon, et n'ont qu'un parfum discret.

Les Gallicas comptent parmi les plus vieilles roses. Cette variété, 'Charles de Mills', est une des plus belles et possède le port caractéristique de sa classe.

LES ROSIERS DE DAMAS

Comme les Gallicas, auxquelles leur histoire s'apparente, les roses de Damas remontent à l'Antiquité. On
a dit qu'elles étaient très cultivées par les Perses et
furent, assurément, populaires dans le monde antique
avant d'être diffusées en Europe, par les croisés, probablement. Un auteur attribue cette introduction à
Robert de Brie, qui aurait rapporté des roses de Damas
dans son château de Champagne entre 1254 et 1276,
d'où elles colonisèrent toute la France et, de là,
l'Angleterre.

Les rosiers de Damas sont beaucoup plus élégants
que les Gallicas, avec leurs branches souples et leur long
feuillage. Les fleurs sont essentiellement roses, avec un
parfum très particulier. En fait, elles sont à l'origine du
parfum de «vieille rose» qu'on trouve dans les roses
modernes (voir page 45). Ces deux classes de roses
– Gallica et de Damas – jouent un rôle important dans
la parenté des roses anglaises.

LES ROSIERS ALBA

Le troisième groupe, celui des rosiers Alba, nous
concerne moins ici, dans la mesure où ils sont peu
apparus dans les lignées des roses anglaises. Ils sont
fortement apparentés à notre églantine sauvage
(R. canina) et résultent probablement du croisement de
celle-ci avec des roses de Damas. Les Albas forment des

*'Celsiana' est un gracieux exemple de rose de Damas,
au délicieux parfum et à l'élégant feuillage gris-vert.
On le connaissait déjà avant 1750.*

Les Centifolias se font remarquer par leurs fleurs et leur parfum sompteux. 'Fantin Latour' porte des fleurs caractéristiques, avec des traces d'un ancêtre Rosa chinensis dans ses feuilles et sa végétation.

du travail des Hollandais entre le début du XVIIᵉ et les premières années du XVIIIᵉ siècle. Les rosiers ont un port flou, ouvert, des aiguillons de toutes tailles et de grosses feuilles rondes. Leurs lourdes fleurs, globuleuses, portent de nombreux pétales et leur parfum est merveilleusement capiteux. Ces rosiers sont de peu d'utilité dans les croisements, en partie parce qu'ils produisent très peu de graines.

'Félicité Parmentier' (Alba) sur fond de rosiers sarmenteux. La plupart des Albas survivants se placent parmi les meilleurs rosiers anciens. Cette variété est venue au monde avant 1834.

buissons nettement plus importants que les précédents et on les a appelé un temps «rosiers arbustes». Quoique particulièrement beaux, ils s'hybrident très difficilement. Leur feuillage revêt un joli ton gris-vert et leurs fleurs un rose pâle ou un blanc très doux.

LES ROSIERS CENTIFOLIA

Quatrième classe de ce groupe, les Centifolias ont longtemps eu la réputation de regrouper les plus anciennes des variétés de roses. Des travaux récents ont montré qu'elles sont en fait assez proches de nous. Leur généalogie est complexe, fruit, essentiellement,

LES ROSIERS DE CHINE

Vers 1800, arriva discrètement, en Grande-Bretagne, un petit groupe de rosiers. Il s'agissait de quatre rosiers de Chine : 'Slater's Crimson China' (introduit en 1792), 'Parson's Pink China' (1793) 'Hume's Blush China' (1809) et 'Parks' Yellow Tea-scented China' (1824). On sait peu de choses sur eux. Bien que les Chinois aient été des jardiniers hors pair, la rose – à la différence des pivoines et des chrysanthèmes – n'a jamais eu beaucoup de place dans leur art ou leur mythologie. Les rosiers de Chine étaient très communs mais ils possédaient un caractère qui allait avoir une incidence importante dans l'avenir des créations de roses : la capacité de refleurir tout au long de l'été.

Les rosiers de Chine sont pourvus d'un métabolisme très différent des rosiers européens : leur végétation est beaucoup plus légère, leurs tiges fines et leur feuillage épais leur donnant une silhouette aérée, grêle due au fait que leurs rameaux sont florifères. Les feuilles sont plus sombres et effilées, souvent ombrées de rouge dans leur jeunesse. En bref, ils rappellent en plus frêle les rosiers hybrides de Thé, à cela près que leurs fleurs sont rarement plus que semi-doubles, avec des boutons à peine turbinés. Pas très rustiques, ils ne dépassent guère, sous nos climats moyens, 60 ou 90 cm de haut, alors qu'en climat chaud, ils peuvent mesurer 2 m et plus.

LES HYBRIDES DE ROSIERS DE CHINE

Il ne fallut pas longtemps avant que les rosiers de Chine soient croisés avec les rosiers européens – par hasard, sans doute, pour une bonne part. Le premier connu apparut en Angleterre en 1815 sous le nom de 'Brown's Superb Blush'. Peu à peu, d'autres hybrides virent le jour, donnant naissance à une classe de rosiers qui prit le nom d'hybrides de rosiers de Chine. Ces rosiers, presque tous disparus, adoptaient le mode de floraison des rosiers anciens et ne s'épanouissaient qu'une fois en début d'été. Cet aspect était dû à la dominance des gènes de non remontance des rosiers anciens sur le gène de remontance des rosiers de Chine.

Ces hybrides de rosiers de Chine venant à être croisés entre eux, des variétés remontantes virent le jour et leurs descendants donnèrent naissance aux rosiers de Portland et Bourbon. Ces deux dernières classes ont conservé la forme de fleurs et la plupart des caractères des vieilles roses européennes mais possèdent, du moins en partie, la faculté de remonter.

LES ROSIERS DE PORTLAND

Les rosiers de Portland forment un charmant petit groupe : il n'en reste sans doute pas plus d'une douzaine. Leur origine exacte reste nébuleuse, mais on ne risque rien à dire qu'ils ont des liens avec les rosiers de Chine, de Damas et les Gallicas. Ils n'ont connu qu'un bref succès. En 1848, il y en avait quatre variétés à Kew, mais je ne connais aucune création après 1860.

Les hybrides de rosiers de Chine ont virtuellement disparu, mais il nous reste 'Hermosa' (introduit en 1840), excellent arbuste d'ornement qui produit des fleurs toute l'année.

Les rosiers de Portland sont courts et dressés. Ceci, lié à leur très forte capacité à remonter, laisse entrevoir les prémices des hybrides de Thé et des Floribundas. Fleurs et feuilles, cependant, ne présentent guère de caractères distincts de ceux des vieux rosiers européens. Très beaux, ils dégagent un puissant parfum de « vieille rose ».

LES ROSIERS BOURBON

Peu après l'apparition des Portland, un autre groupe apparut – les rosiers 'Bourbon'. Ils ont vu le jour dans l'océan Indien, à l'île Bourbon – aujourd'hui, île de la Réunion. Un hybride naturel se fit entre le rosier de Chine 'Old Blush' ('Parson's Pink China'), toujours en culture dans nos jardins et une variété répondant au nom de 'Autumn Damask'. Ces variétés étaient très cultivées dans l'île et s'avéraient toutes deux remontantes. Le hasard fit bien les choses en les croisant pour donner naissance à 'Rose Edouard'. Un botaniste parisien, M. Bréon, en récupéra des fruits dont il donna des graines à M. Jacques, jardinier de Louis-Philippe. Dans les semis, M. Jacques obtint une belle variété qu'il appela 'Rosier de l'île Bourbon'. Cette première rose Bourbon, introduite en 1823, donna naissance – avec l'aide, sans aucun doute, de croisements avec d'autres roses – à la classe connue sous le nom de Bourbon.

'Louise Odier', Bourbon remontant introduit en 1851. Cette classe fait la jonction entre les rosiers anciens et modernes, avec les fleurs des premiers et les feuilles des seconds.

'Ferdinand Pichard', hybride remontant strié, un peu surprenant, né en 1921 ou avant. Les hybrides remontants et les rosiers Thé ont servi de parents à nos modernes hybrides de Thé.

Les rosiers Bourbon sont nettement différents des Portland, leur aspect les rapprochant plus des rosiers de Chine. Il s'agit en fait, des premiers rosiers à ressembler, par leur feuillage et par leur végétation, à nos modernes hybrides de Thé. Les fleurs conservent la forme des vieilles variétés avec une tendance, cependant, à former des coupes de taille moyenne plutôt que des rosettes. De plus, elles sont lourdement parfumées. Plus élevés et plus lâches que les Portland, ce qui leur confère un port plus naturel, les buissons vont de 0,90 m à 1,50 m. Peu à peu, ils évincèrent ces derniers, bien que ne les remplaçant pas vraiment.

LES HYBRIDES REMONTANTS

Apparentés également aux Bourbon, on trouve les «hybrides remontants». Ils furent très populaires du milieu à la fin du siècle dernier, puis cédèrent la primauté aux hybrides de Thé. Je ne les considère pas comme de vrais rosiers anciens et c'est pourquoi ils n'ont pas figuré dans les lignages des roses anglaises. Plus lourds que leurs prédécesseurs, les hybrides remontants sont plutôt grands, raides et assez laids. Leurs fleurs, pourvues d'un parfum exceptionnel, sont souvent turbinées, en bouton. Nombre de variétés étaient d'un cramoisi soutenu, couleur brillant par son absence jusqu'à l'entrée en scène

de ces hybrides et souvent liée au plus puissant parfum de rose (notons qu'ironiquement, toutefois, les modernes hybrides de Thé rouges se trouvent le plus souvent dénués d'odeur).

LES ROSIERS THÉ

Les Bourbon faisaient encore florès, que les rosiers de Chine avaient déjà fait leur chemin, surtout en France, sous forme d'une classe connue au départ comme 'Roses de Chine à odeur de Thé'. L'origine du nom reste obscure – soit en référence à leur odeur, proche de celles des feuilles fraîches, soit à cause des panières à thé dans lesquelles on les importait d'Orient. Les rosiers Thé résultèrent du croisement de deux rosiers de Chine d'origine – 'Hume's Blush China' et 'Parks' Yellow Tea-scented China' – avec peut-être, par la suite, l'aide de divers Bourbon. La première variété, 'Adam', fut obtenue en France en 1833 par un pépiniériste anglais du même nom.

Les rosiers Thé ont beaucoup de points communs avec les rosiers de Chine. Dans l'ensemble, ils sont délicats, de santé comme d'aspect, et sensibles au gel en climats froids, où ils n'ont jamais pris une grande extension. Précieux et élégants, souvent garnis de jolis boutons pointus, ils ont une remontance accusée.

LES HYBRIDES DE ROSIERS THÉ

En croisant les hybrides remontants avec les rosiers Thé, pour apporter santé et vigueur à ces derniers, les pépiniéristes nous offrirent les hybrides de Thé dans la seconde moitié du XIXᵉ siècle. Possédant beaucoup de caractères en commun avec les rosiers Thé, ils constituèrent un type de rosiers entièrement nouveau qui allait bientôt figurer sur le devant de la scène horticole.

Les hybrides de rosiers Thé sont des rosiers trapus, buissonnants, aux boutons effilés et fleurissant dans des tons de rose, rouge et jaune ; leur feuillage est grand, luisant. Ils s'épanouissent longuement et abondamment et, bien que destinés aux parterres, font de bonnes plantes de *mixed-borders*. Ils sont très distincts, cependant, des rosiers du passé – à tel point que le non-initié pourrait aisément les croire d'une espèce toute différente. Ils sont devenus si populaires qu'ils ont éclipsé presque entièrement les rosiers anciens et sont encore les plantes d'ornement les plus répandues.

LES ROSIERS FLORIBUNDA

Alors que les hybrides de Thé étaient à leur apogée, apparut un nouveau groupe de rosiers, les Floribundas. Pour l'origine de ces rosiers, nous devons remonter à 1875, époque à laquelle le créateur français des premiers hybrides de Thé, Jean-Baptiste Guillot, de Lyon, introduisit deux nouveautés nommées 'Mignonette' et 'Pâquerette'. C'étaient là les variétés de départ d'une classe qui allait connaître la notoriété sous le nom de Polyantha. Elles sont issues d'un croisement entre un rosier sauvage grimpant, *R. multiflora*, particulièrement robuste et rustique, et le remontant 'Old Blush China', un *Rosa chinensis*. Les Polyanthas ont hérité des qualités de leurs deux parents : résistants et rustiques, ils produisent de petites fleurs en bouquets comme les sarmenteux et fournissent des masses colorées tout l'été.

Les Floribundas ont leur origine dans le croisement des Polyanthas d'avec les hybrides de Thé. Le mérite en revient à l'obtenteur danois P.T. Poulsen, qui recherchait des rosiers résistant au climat scandinave. Il croisa ainsi le rosier Polyantha 'Madame Norbert Levavasseur' avec l'hybride de Thé, 'Richmond'. Le résultat fut un rosier nommé 'Rödhätte' (ou 'Red Riding Hood'). Introduit en 1912, il portait de petites fleurs rouge cerise, demi-doubles, en larges bouquets. Malencontreusement, il semble avoir été emporté dans la tourmente de la Première Guerre mondiale et l'on n'en a plus entendu parler.

Après la guerre, le fils de Poulsen, Svend, obtint et introduisit 'Kirsten Poulsen' et 'Else Poulsen', qui eurent tous deux un grand succès. D'autres variétés

'Lady Hillingdon' (introduit en 1910) est le meilleur survivant des rosiers Thé, classe qui a donné ses boutons turbinés et son parfum spécifique aux hybrides de Thé.

'Alexander', hybride de Thé créé en 1972 à partir du populaire 'Super Star' (1960), illustre les coloris vifs et les cœurs bien formés caractéristiques des hybrides de Thé.

suivirent et l'ensemble vint à former les Floribundas. Ils ont conservé une grande part de la rusticité, de la générosité et de la durée de floraison des Polyanthas, avec des fleurs plus grandes. Malheureusement, les Polyanthas n'ont aucun parfum et les Floribundas très peu. Leur mérite tient dans leur faculté de produire des masses de fleurs durant tout l'été, plutôt que dans la beauté individuelle de chaque fleur.

LES ROSIERS GRIMPANTS ET SARMENTEUX

Il est remarquable que les rosiers, ayant produit au fil des siècles tant de belles variétés sous forme de buissons et d'arbustes, soient encore capables de montrer leurs talents dans une tout autre direction en devenant l'une des plus belles, peut-être, de nos plantes grimpantes. Le développement de cette catégorie se produisit assez tard dans cette longue histoire. En gros, les rosiers qui grimpent peuvent être divisés en deux groupes – les grimpants et les sarmenteux – ce qui prête à confusion car il s'agit toujours, en fait, de grimpants.

Les sarmenteux (Ramblers) peuvent être définis comme la branche grimpante des Polyanthas et des Floribundas. De nouveau, c'est *R. multiflora* qui est intervenu comme parent, mais beaucoup moins que *R. wichuraiana*, rosier très vigoureux, au port plus souple et gracieux. Ces deux espèces furent croisées également avec des rosiers Thé et hybrides de Thé, mais la sélection porta alors sur des grands grimpants. On obtint des rosiers particulièrement vigoureux et élevés, produisant à foison des masses de fleurs aux coloris souvent délicats. Il est rarissime qu'ils remontent, mais offrent un magnifique spectacle en tout début de l'été – quelques variétés produisant parfois un «second tour» en fin de saison. L'apparition de ces rosiers est due à plus d'un obtenteur; leur irruption eut lieu principalement entre 1895 et 1910.

Les grimpants (Climbing) produisent généralement de plus grandes fleurs, portées individuellement ou en petits bouquets. Il s'agit bien souvent de formes grimpantes de rosiers Thé ou hybrides de Thé dont les nombreuses variétés ont été introduites parallèlement à leurs proches buissonnants. L'apport le plus récent

Les Floribundas sont des rosiers à massifs florifères, issus du croisement des hybrides de Thé et des Polyanthas. 'Arthur Bell' (introduit en 1965) est une bonne variété solide.

aux grimpants est un groupe qu'on appelle «grimpants modernes». Ils sont le résultat du croisement de toute une gamme de rosiers élevés avec des hybrides de Thé. 'New Dawn' joue un rôle prépondérant dans ces grimpants modernes. C'est un sport de 'Dr W. Van Fleet', Wichuraiana sarmenteux élevé et vigoureux. 'New Dawn' est proche de ses parents, à ceci près qu'il remonte. En outre, et bien qu'il grimpe haut, il n'atteint jamais la taille de 'Dr W. Van Fleet', du fait même de sa remontance. Quoi qu'il en soit, 'New Dawn' a été pour beaucoup dans l'apparition des grimpants modernes à remontance marquée.

LES ROSIERS DE NOISETTE

Ce groupe de grimpants, un peu distinct des autres, vient, à l'origine, du croisement de la rose musquée (*R. moschata*) et de 'Parson's Pink China'. L'hybride vit le jour au début des années 1800 à Charleston

(Caroline du Sud) et reçut le nom de 'Champney's Pink Cluster', d'après son obtenteur. Philippe Noisette, également horticulteur à Charleston, fit des semis de ce rosier, d'où naquit 'Blush Noisette', toujours en culture de nos jours. 'Blush Noisette' possédait le précieux gène de remontance et reste le premier rosier grimpant avec ce caractère. Les rosiers de Noisette ont joué un rôle important dans l'obtention des roses anglaises, en particulier grâce à 'Gloire de Dijon', introduit en 1853.

HYBRIDES DE MOSCHATA, RUGOSA ET ROSIERS BUISSONS MODERNES

Dans ces trois groupes, tous nés au XXᵉ siècle, se distinguent des arbustes d'ornement, certains remontants et d'autres non. Ils n'ont eu, à tout prendre, qu'une incidence légère et indirecte sur les roses anglaises. Malgré leur nom, les hybrides de Moschata n'ont pas grand-chose en commun avec la rose musquée. Ils portent de gros bouquets de fleurs généralement doubles sur des grandes branches élégantes, tels des Floribundas raffinés. Les meilleures variétés furent presque toutes obtenues entre 1900 et 1930 par le révérend Joseph Pemberton, en Essex.

Les Rugosas sont tous des hybrides de l'espèce type du même nom, originaires de Chine et du Japon. Extraordinairement rustiques et robustes, ils portent de grandes feuilles rêches et de nombreux aiguillons solides. La forme sauvage est originale, en ce qu'elle refleurit durant l'été. Les fleurs larges, simples, semblent de papier. Le type a légué nombre de ses qualités à ses enfants, aux fleurs de type « rose à l'ancienne » – parfois vivement parfumées. Comme les hybrides de Moschata, ils furent essentiellement obtenus au tout début du siècle, encore qu'il y ait eu un solide apport de nouvelles variétés depuis. Les hybrides de Rugosa ont servi dans la lignée de quelques roses anglaises.

Les rosiers buissons modernes, essentiellement issus du croisement des hybrides de Thé modernes et des Floribundas avec une large gamme d'espèces types, forment un grand groupe hétérogène. Ils donnent de gros arbustes, aux fleurs de type « moderne », avec une vigueur héritée de leurs parents sauvages.

LE RENOUVEAU DES ROSIERS ANCIENS

De ce bref survol des principales classes de rosiers, le lecteur retire l'impression que chaque fois qu'une nouvelle apparaît, elle éclipse toutes les autres. Avant les hybrides de Thé, ce n'était pas le cas. Les livres sur les roses de la fin du XIXᵉ siècle décrivent les différents groupes vivant en bonne intelligence les uns avec les autres, même si, au fil du temps, une classe était plus à la mode que les autres. Ce n'est qu'avec l'arrivée de la fantastique vague de popularité des hybrides de Thé que les variétés plus anciennes connurent le déclin. Un coup d'œil aux catalogues des rosiéristes vers 1920-1930 ne nous montre plus que trois ou quatre vieilles roses, reléguées en fin de listes. Des milliers de variétés semblaient s'être évaporées.

Tout, fort heureusement, n'était pas perdu. Peu après l'apparente mise au rebut des si jolies roses anciennes, divers collectionneurs avisés commencèrent à prospecter les jardins pour y recueillir les sujets survivants pour les mettre en réserve chez eux. C'est à cette époque qu'on a commencé à parler de rosiers « anciens ». Des collections importantes finirent par voir le jour. Vers 1950, Graham Thomas, une des autorités britanniques en la matière, avait réussi à monter un beau conservatoire chez Hillings & Co, de Woking, puis aux pépinières Sunningdale. À partir de là, les rosiers anciens refirent leur chemin à travers le pays, voire à l'étranger, et le culte des roses anciennes connut un nouvel essor. D'autres variétés qu'on croyait disparues ont refait surface depuis et il ne cesse d'en réapparaître de tous les coins du monde.

Aujourd'hui, deux grandes traditions coexistent dans le monde de la rose : celle des rosiers anciens, au port élevé, arbustif et aux larges fleurs dans une gamme de formes allant de la coupe profonde au ruché, et celle des rosiers modernes, à l'éblouissante palette de couleurs, aux boutons turbinés, aux branches courtes et dressées et aux feuilles brillantes. Même si les roses modernes sont souvent, mais pas toujours, odorantes, elles ne peuvent rivaliser avec la puissance et la richesse de fragrance des anciennes – qualité que nous sommes parvenus à réintroduire, avec succès je crois, dans les roses anglaises.

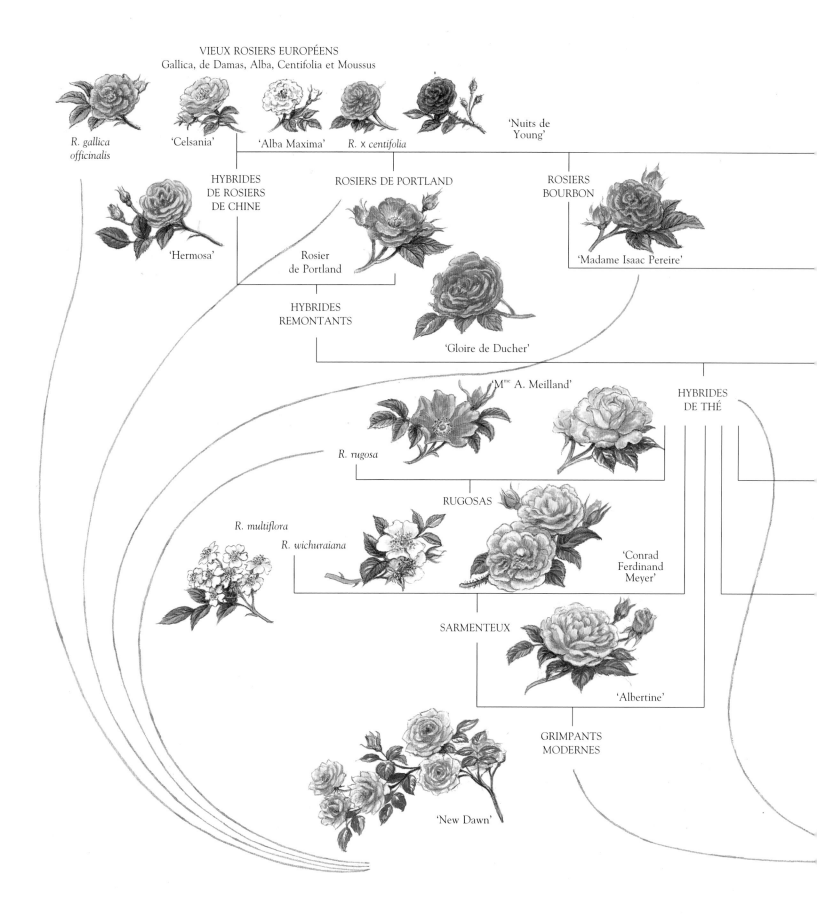

VIEUX ROSIERS EUROPÉENS
Gallica, de Damas, Alba, Centifolia et Moussus

R. gallica officinalis

'Celsania'

'Alba Maxima'

R. x centifolia

'Nuits de Young'

HYBRIDES DE ROSIERS DE CHINE

'Hermosa'

ROSIERS DE PORTLAND

Rosier de Portland

ROSIERS BOURBON

'Madame Isaac Pereire'

HYBRIDES REMONTANTS

'Gloire de Ducher'

'Mme A. Meilland'

HYBRIDES DE THÉ

R. rugosa

RUGOSAS

R. multiflora

R. wichuraiana

'Conrad Ferdinand Meyer'

SARMENTEUX

'Albertine'

GRIMPANTS MODERNES

'New Dawn'

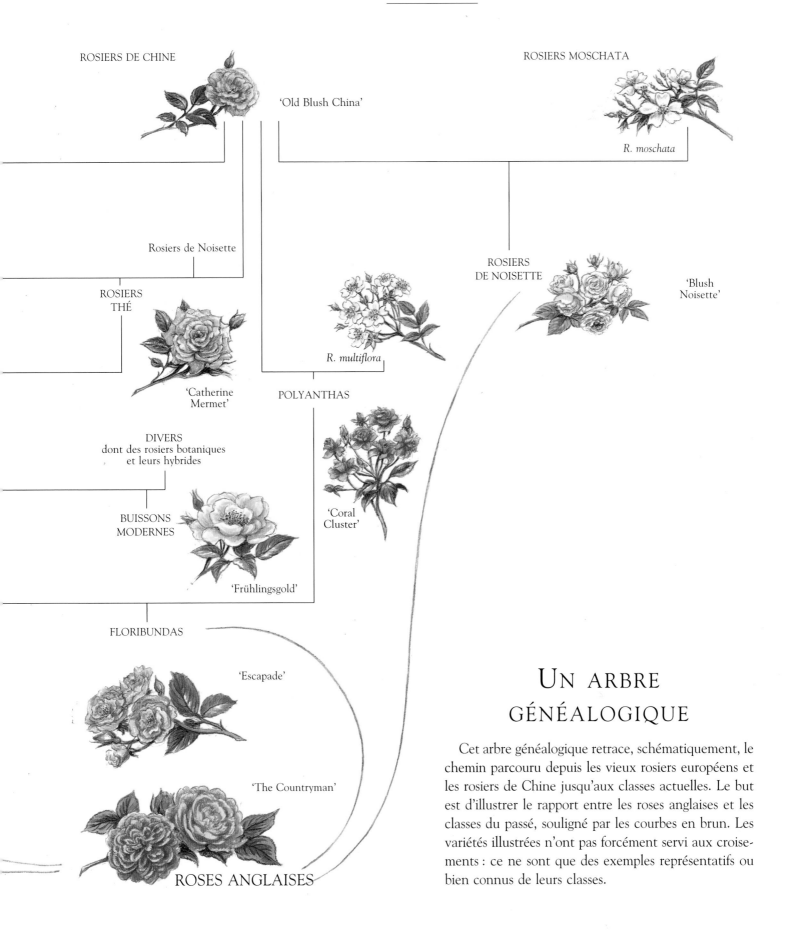

ROSIERS DE CHINE

'Old Blush China'

ROSIERS MOSCHATA

R. moschata

Rosiers de Noisette

ROSIERS
THÉ

ROSIERS
DE NOISETTE

'Blush
Noisette'

R. multiflora

'Catherine
Mermet'

POLYANTHAS

DIVERS
dont des rosiers botaniques
et leurs hybrides

'Coral
Cluster'

BUISSONS
MODERNES

'Frühlingsgold'

FLORIBUNDAS

'Escapade'

'The Countryman'

ROSES ANGLAISES

UN ARBRE GÉNÉALOGIQUE

Cet arbre généalogique retrace, schématiquement, le chemin parcouru depuis les vieux rosiers européens et les rosiers de Chine jusqu'aux classes actuelles. Le but est d'illustrer le rapport entre les roses anglaises et les classes du passé, souligné par les courbes en brun. Les variétés illustrées n'ont pas forcément servi aux croisements : ce ne sont que des exemples représentatifs ou bien connus de leurs classes.

ROSIERS ANCIENS ET ROSIERS MODERNES

*Mes premiers pas dans l'hybridation des rosiers furent des tâtonnements
et des essais, mais il apparut bien vite possible d'allier la beauté des rosiers anciens
et les qualités pratiques des modernes – de marier le neuf et le vieux. Je retrace ici
le chemin parcouru par les roses anglaises depuis leurs balbutiements jusqu'aux
nombreuses variétés actuelles.*

QUAND j'ai débuté dans l'hybridation de roses, dans les années 1940-1950, j'étais conscient que les techniques évoluées de croisements des années passées nous avaient transmis un fantastique éventail de rosiers. De même, il était clair que rosiers anciens et modernes représentaient désormais deux courants bien distincts. À l'examen, il m'apparut évident que chacun avait des qualités qui faisaient rêver à leur mariage comme une option souhaitable. J'étais persuadé qu'en retenant des facteurs bien choisis, je pourrais voir apparaître un rosier qui, avec le temps, surpasserait les uns et les autres. Il n'y avait qu'à sélectionner des rosiers particulièrement beaux et parfumés pour les croiser avec des hybrides de Thé et des Floribundas, remontants et richement colorés ; et tant mieux si ces derniers possédaient une pointe de parfum et des caractères « anciens ».

Il est peut-être bienvenu d'expliquer que presque tous les rosiers nouveaux sont créés par le biais de « l'hybridation » – c'est-à-dire que le rosiériste transporte le pollen d'une variété à une autre pour produire des graines. Celles-ci semées, chacun des jeunes plants portera un mélange unique de caractères de ses parents. On obtient généralement quantité de ces jeunes plants ; c'est le choix d'un exemplaire qui se distingue par sa personnalité qui fournira le nouveau rosier. Pour ceux de nos lecteurs intéressés par les techniques de multiplications employées dans notre pépinière du Shropshire, on trouvera des détails dans le chapitre *La naissance d'une rose* (pages 153 à 157).

LE MARIAGE
DES ROSIERS ANCIENS
ET DES ROSIERS MODERNES

Peu après la Seconde Guerre mondiale, j'acquis un exemplaire de 'Stanwell Perpetual' dans la célèbre pépinière Bunyard du Kent, où Edward Bunyard avait regroupé une première petite collection de roses anciennes. Cette rose d'Écosse est unique en son genre,

'Mary Rose' (à gauche) comprend, à travers ses parents roses anglaises, des Gallicas, des hybrides remontants, des hybrides de Thé et des Floribundas dans son lignage. Remarquable arbuste d'ornement, c'est l'union idéale du passé et du présent.

par sa remontance. Elle est probablement due au fruit des amours de hasard entre *R. pimpinellifolia* et un rosier de Portland. 'Stanwell Perpetual' porte des fleurs doubles rose pâle, un peu échevelées mais typiques des roses anciennes. Rien d'autre ne le distingue du reste des rosiers d'Écosse, au caractéristique feuillage court et plumeux et au port buissonnant. À mes yeux, le meilleur de ce rosier tenait dans sa tendre couleur rose et son délicieux parfum. Je me dis alors que si un tel rosier pouvait naître par hasard, il n'y avait réellement aucune raison qui empêcherait de marier les vieux rosiers non remontants aux rosiers modernes remontants, pour un résultat comparable.

Au moment de mettre mes idées en pratique, j'ai agi avec peu de méthode. Tout d'abord, ma connaissance des rosiers anciens, à l'époque, était des plus limitées. De plus, je n'étais rien qu'un amateur, apprenti-hybrideur. Comme parents, pour un essai, je choisis les variétés possédant, à mes yeux, les meilleures qualités. J'agirais tout autrement aujourd'hui, mais aux innocents les mains pleines et je pense que je n'aurais pu faire mieux.

Le premier rosier ancien retenu était le joli petit Gallica 'Belle Isis'. Obtenu en Belgique par Parmentier et introduit en 1845, ce court buisson très branchu n'excède pas 90 cm de haut. Il porte de toutes petites fleurs rose nacré très doux, garnies d'une foule de courts pétales serrés formant une rosette d'une grâce et d'un charme parfaits. C'est aussi une plante solide. Je le croisai avec l'excellent Floribunda 'Dainty Maid', obtenu par E.B. Le Grice en 1938 et fort en vogue à l'époque. Ce rosier moderne remontant, qui reste pour moi un des meilleurs du genre, donne un buisson robuste aux tiges vigoureuses et au large feuillage.

Le Gallica 'Belle Isis' (à gauche) et le Floribunda 'Dainty Maid' (en haut) furent les parents de la première rose anglaise, 'Constance Spry' (ci-dessus). Ce rosier a la qualité d'une pousse vigoureuse, bien que ne fleurissant qu'une fois l'an.

Ses fleurs simples, rose pâle, s'ouvrent largement pour montrer leurs étamines dorées. C'est, également, un rosier très fiable.

LES PREMIÈRES ROSES ANGLAISES

Dans le semis de ce premier croisement, un rosier se distinguait particulièrement. Il porte aujourd'hui le nom de 'Constance Spry'. À la différence de ses parents, l'étonnant c'est qu'il porte des fleurs en coupe d'une taille exceptionnelle, proche de celle d'une pivoine. Ces fleurs splendides, identiques à celles d'un rosier ancien, ont des pétales soyeux rose tendre et un fort parfum de myrrhe (voir page 44). L'arbuste forme un grand buisson étalé et très vigoureux. Planté contre

Le Gallica 'Tuscany' (en haut) et le Floribunda 'Dusky Maiden' (né en 1947, à droite) ont fourni 'Chianti', père des roses anglaises rouges. Les fleurs de ce bel arbuste tournent à un riche pourpre en vieillissant, comme on le voit ci-dessus. Il est vigoureux mais non remontant.

un mur ou tout autre appui, il devient grimpant. 'Constance Spry' fut introduit en 1961 par les pépinières Sunningdale – la nôtre n'existait pas encore – et s'avéra une étape capitale pour l'avenir des roses anglaises. Saluons l'initiative de ces pépinières, qui apparaît, rétrospectivement, comme bien courageuse, et qui semblait insensée à nombre d'autres professionnels, à l'époque. Il était impensable, en effet, de commercialiser un tel rosier à un moment où le renouveau du goût pour les «anciens» n'avait pas encore vu le jour, et où seules comptaient, en outre, les variétés remontantes, ce que 'Constance Spry' n'est pas.

Chaque fois qu'on croise un rosier remontant avec un non remontant, comme pour les parents de 'Constance Spry', leurs enfants sont presque invariablement non remontants. En d'autres termes, le gène de remontance est dit « récessif ». Pour y remédier, il

fallait « recroiser » 'Constance Spry', au moins une fois, avec un rosier remontant pour obtenir ce caractère. Ce n'est qu'alors que je pourrais m'attendre à récolter quelques semis de « remontants ». Entre autres je choisis, à cet effet, un Floribunda nommé 'Ma Perkins', obtenu par Boerner et commercialisé par Jackson et Perkins en 1952. Ce rosier possédait deux qualités : il était tout d'abord réputé pour produire quantité de graines parfaites, à la germination assurée (aspect capital dans l'obtention de rosiers). Ensuite c'était l'un des rares parmi les hybrides de Thé et les Floribundas à porter des fleurs de style ancien, en coupe marquée, un peu du type Bourbon. Avec 'Ma Perkins', je pouvais donc espérer que les caractères de rosier ancien de 'Constance Spry' ne disparaîtraient pas dans sa descendance. Comme prévue, ces croisements fournirent une bonne part de plants remontants. En les croisant entre eux, puis avec des rosiers encore plus modernes, je parvins à créer, au bout de huit ans, un petit groupe de rosiers avec des fleurs « à l'ancienne » et une remontance marquée.

Le très vieil hybride de Thé 'Mme Caroline Testout' fut un autre de mes cobayes de l'époque. Obtenu en France par la société Pernet-Ducher, il fut introduit en 1890. Comme 'Mme A. Meilland' dans la première moitié de ce siècle, très rustique et fiable, il était planté partout. À l'image de nombreux autres hybrides de Thé de son temps, 'Mme Caroline Testout' conservait de nombreux aspects de vieille rose, globuleuse et aux nombreux pétales. Comme géniteur, ce rosier me donna 'Wife of Bath', joli petit rosier aux charmantes coupes rose pur, et excellent parent à son tour. Des croisements répétés avec 'Constance Spry' donnèrent de nouvelles variétés. Je n'avais que des fleurs roses, mais d'une couleur exceptionnellement pure.

En même temps, je cherchais à créer de bons rouges. J'obtins mon premier succès avec 'Dusky Maiden', autre Floribunda de Le Grice, rappelant 'Dainty Maid' par bien des points, excepté sa couleur cramoisie. En le croisant avec 'Tuscany', un Gallica pourpre cramoisi foncé, j'obtins le superbe 'Chianti'. Introduit en 1967, toujours par Sunningdale, c'était le pendant en rouge de 'Constance Spry'. Merveilleusement odorant, il porte de grosses fleurs pourpre cramoisi de type rose ancienne. Il forme un buisson bien bâti, mais, comme 'Constance Spry', ne fleurit qu'au début de l'été. À son tour, je le recroisai, avec divers rosiers modernes rouges, cette fois. Malheureusement, presque tous les semis s'avérèrent plutôt faibles. Je me tournai alors vers le très vigoureux rosier buisson 'Gipsy Boy', aux fleurs odorantes, pourpre cramoisi foncé, de type ancien. Son seul défaut était son unique floraison, en début d'été. Après l'avoir croisé avec quelques-uns des enfants de 'Chianti', j'eus la surprise d'obtenir une première génération de remontants. C'était l'indice que 'Gipsy Boy' devait avoir eu au moins un ancêtre remontant.

Le meilleur résultat du mariage de 'Gipsy Boy' et de 'Chianti' fut un rosier nommé 'The Knight'. Peu vigoureux, cet arbuste donnait de jolies fleurs d'un riche cramoisi. Nous le croisâmes avec le vieil Hybride de Thé 'Château de Clos Vougeot', connu pour fournir un cramoisi soutenu, et le résultat fut 'The Squire'. Ce rosier, aux splendides fleurs rouges, laissait encore à désirer pour la végétation, mais s'avéra un excellent parent auquel nous devons nos meilleures variétés rouges.

Vers 1969, j'avais une petite gamme de rosiers prêts à être lancés. Ils étaient si différents de tous leurs contemporains qu'il n'était guère probable que les pépiniéristes s'intéressent à eux pour les inscrire à leurs catalogues. Ayant toujours été cultivateur, j'avais le privilège de cultiver moi-même mes rosiers. Je créai donc en 1970 une pépinière, la David Austin Rose, afin de commercialiser mes rosiers. Les premières listes comprenaient 'Wife Of Bath', 'The Prioress' et 'Canterbury', ainsi que trois autres abandonnées depuis – 'The Yeoman', 'The Knight' et 'Dame Prudence'. Ce fut un début modeste, mais les jardiniers ne tardèrent pas à montrer un intérêt grandissant.

'Iceberg' (introduit en 1958) est un des meilleurs Floribundas. Ancêtre de la lignée 'Heritage', il a marqué plusieurs de nos variétés les plus fortes, dont 'Graham Thomas'.

LES ÉTAPES SUIVANTES

À ce moment de notre programme d'hybridations, nous rencontrions encore des problèmes. Dans notre quête de rosiers buissons de taille courte ou moyenne, sains et à port buissonnant ou lâche, nous avions toujours retenu des parents vigoureux. Malgré tout, les enfants obtenus n'étaient généralement pas aussi robustes que nous le souhaitions. L'un des impondérables dans l'hybridation des rosiers est qu'avec des parents vigoureux de toutes sortes, on peut engendrer une descendance sans tonus. Par ailleurs, nous n'avions toujours aucun jaune. Nous nous sommes mis en quête de géniteurs capables d'améliorer l'espèce et d'étendre la gamme.

Une des lignées amenée à jouer un grand rôle dans les roses anglaises vient du Floribunda blanc 'Iceberg'. Ce rosier bien connu, obtenu en Allemagne par Kordes en 1958, est un des meilleurs de sa classe. Issu de l'hybride de Moschata 'Robin Hood', il est plutôt un petit rosier buisson. D'une remontance exceptionnelle, il fleurit souvent jusqu'au cœur de l'hiver. Séparément, les fleurs ne sont guère spectaculaires, mais elles foisonnent en jolis bouquets ; l'automne modifie leur aspect, en leur colorant les joues de rose. Alors, elles ressemblent fort à des roses anciennes. Large, dru, touffu, ce rosier me semblait avoir de nombreuses qualités à conférer aux roses anglaises.

Les premiers croisements entre 'Iceberg' et diverses roses anglaises aboutirent à un des plus beaux rosiers que nous ayons obtenus jusqu'alors. Ses fleurs, rose tendre, étaient les plus parfaites rosettes de type « rose ancienne » que l'on peut voir. Nous fûmes très déçus de lui trouver un défaut majeur – comme 'Iceberg', mais pire encore, il était très sensible au marsonia et ne put être mis en vente. Cette maladie, en effet, non seulement tache les feuilles de noir, mais les fait chuter. Notre obtention, malgré tous les soins, était dépouillée dès le cœur de l'été ! Nous le recroisâmes donc avec d'autres roses anglaises pour obtenir une poignée de nos meilleurs variétés d'alors, dont 'Heritage' et 'Perdita' – deux rosiers remarquables pour leur résistance. Aujourd'hui, nous ne nous risquerions sûrement pas à un tel recroisement par peur de développer la sensibilité à la maladie des taches noires (marsonia).

Toujours en quête de vigueur et de santé, nous nous tournâmes vers 'Aloha', un grimpant. C'est un enfant

'Heritage' fut introduit en 1984. Comme son aïeul 'Iceberg' (à gauche),
il forme un excellent arbuste d'ornement, à la gracieuse végétation
buissonnante et aux fleurs vivement parfumées.

Le beau rosier de Noisette 'Gloire de Dijon' est un des rares rosiers anciens jaunes. Il s'est avéré inestimable comme parent pour certaines de nos meilleures variétés.

même un croisement entre le célèbre et splendide 'Gloire de Dijon', un rosier de Noisette, et un hybride de Rugosa inconnu. Il exhale également un parfum puissant et agréable. Comme précédemment, nous l'hybridâmes avec nos meilleures roses anglaises du moment, en particulier 'Chaucer', et nous eûmes un de ces coups de chance qui se produisent parfois chez les rosiéristes. Les semis donnèrent en partie des rosiers caractéristiques des Rugosas, et en partie des plantes sans ce caractère. Il semblait que certains de nos hybrides n'avaient pris que les gènes de 'Gloire de Dijon', parent de 'Conrad Ferdinand Meyer', et les autres le côté Rugosa. Dans beaucoup de cas, nous avions, en fait, des hybrides de 'Gloire de Dijon'. Leurs fleurs en rosettes parfaites, aux jolis pétales soyeux, d'une taille peu commune, étaient délicatement parfumées. Ces hybrides allaient nous offrir, quelques générations plus tard, quelques-unes de nos meilleures roses anglaises jaunes et abricot, telles que 'Jayne Austin' et 'Evelyn'. Les obtenteurs progressent souvent sur un coup de chance ; l'élégance est de savoir le reconnaître.

Parmi les rosiers qui ont le plus marqué leurs descendants chez les roses anglaises, l'un mérite une mention spéciale. L'histoire de sa naissance a malheu-

de 'New Dawn', généralement considéré comme l'un des rosiers les plus résistants. 'Aloha' est plus un grand buisson – nous le recommandons comme tel à nos clients – qu'un vrai grimpant et, outre sa forte vigueur, il possède deux excellentes autres qualités : ses fleurs ont une vraie forme de roses anciennes et il sent délicieusement bon. Toutefois, c'est avant tout sa robustesse que nous souhaitions léguer à nos rosiers. Nous y parvînmes avec succès et bon nombre de variétés odorantes et solides sont issues de 'Aloha', dont le puissant 'Charles Austin', jaune abricot.

Nous travaillions sur une troisième lignée issue de 'Conrad Ferdinand Meyer', un Rugosa. Au début, nous n'avions pas grand espoir de succès, craignant que les enfants de cet hybride très vigoureux ne s'avèrent trop massifs eux aussi. 'Conrad Ferdinand Meyer' est lui-

'Charles Austin' montre l'influence de 'Aloha' sur les roses anglaises. Il a légué à son tour la somptueuse forme de sa fleur à des enfants tels que 'Golden Celebration'.

'Sharifa Asma' est un des très beaux descendants de 'Mary Rose',
aux fleurs plus élégantes et au port plus trapu. La rose de Damas 'Celsiana'
les a marqués de son empreinte.

reusement été perdue, mais 'Mary Rose' n'en reste pas moins, par bien des points, la rose anglaise idéale. Bien ramifié, compact, touffu, il s'avère résistant aux maladies et remonte abondamment. Ses fleurs ne sont pas très odorantes, mais pour le reste, je le considère pour un rosier parfait. Nous avons pu le croiser avec divers autres pour obtenir d'excellentes créations dont 'Sharifa Asma' et le charmant 'Kathryn Morley'.

Parmi les parents heureux figurent également des rosiers anciens comme 'Duchesse de Montebello' et d'autres Gallicas, les beaux Portland, en particulier 'Comte de Chambord', et quelques Bourbon, qui ont tout en commun avec les roses anglaises. Côté « modernes », nous trouvons le Floribunda 'Chinatown' et le grimpant court 'Parade' entre autres. Les générations suivantes viennent de croisements entre les roses

anglaises et je pense que c'est par ce dernier biais que nous progresserons dans l'avenir. La recherche de nouveaux rosiers comprend inévitablement des succès et des échecs – ainsi qu'une bonne dose de patience – et nous avons abouti à des impasses aussi souvent que nous avons rencontré le succès.

L'avantage avec un tel éventail de parents, c'est que nous n'avons pas qu'un seul type de roses anglaises, mais une bonne gamme de lignées distinctes. Nous nous en félicitons car cela ajoute à l'attrait de ce groupe, en général, et à leur beauté individuelle, en particulier. Chaque lignée possède sa propre caractéristique de fleurs, feuillage et végétation, et je crois devoir conserver ces distinctions qui répondent à des emplois au jardin. Dans les deux pages suivantes, on trouvera des exemples de chaque lignée.

LES LIGNÉES DE ROSES
ANGLAISES

Il est pratique de classer la majorité des roses anglaises en huit lignées principales – bien que ces divisions soient arbitraires, chaque individu a sa personnalité.

1 LIGNÉE 'ROSIER ANCIEN'
Les fleurs de ces rosiers ont un type ancien marqué, qui n'entre pas aisément dans les sept autres illustrés ici. Il s'agit souvent de croisements originaux, comme chez 'Chaucer', 'Constance Spry' et 'The Reeve'.

3 LIGNÉE 'MARY ROSE'
Généralement dotés d'un aimable port buissonnant et bien remontants, ces rosiers comprennent 'Mary Rose' (ci-dessus), 'Charles Rennie Mackintosh', 'Redouté' et 'Winchester Cathedral'.

4 LIGNÉE 'WHIFE OF BATH'
Très marqués par leur parent d'origine, 'Belle Isis', un Gallica, ce sont des arbustes généralement courts, touffus et solides, d'aspect « rosiers anciens » avec un fort parfum de myrrhe. Nous trouvons là des variétés, telles que 'Wife of Bath' (ci-dessus), 'Emily', 'Ambridge Rose', 'Sharifa Asma', 'Glamis Castle' et 'Cottage Rose'.

2 LIGNÉE 'HERITAGE'
Apparentés au Floribunda 'Iceberg', ces rosiers comprennent d'aussi remarquables variétés que 'Heritage' lui-même, 'Perdita' et 'Graham Thomas' (ci-dessus). Ils ont un feuillage plutôt court, brillant, un port trapu et généralement une odeur de rosiers Thé.

5   LIGNÉE 'PORTLAND'

Ces rosiers ont beaucoup en commun avec les Portland. Ils portent jusqu'au ras des fleurs de longues feuilles retombantes du type rosiers de Damas, et sentent la « vieille rose ». Jusqu'à présent il y a deux variétés : 'Gertrude Jekyll' (ci-dessus) et 'The Countryman'.

7   LIGNÉE 'ALOHA'

Ils proviennent du rosier grimpant moderne 'Aloha' et possèdent une végétation puissante, buissonnante et des fleurs assez lourdes, de caractère ancien très accusé. Nous y trouvons 'Charles Austin', 'Abraham Darby', et 'Golden Celebration' (ci-dessus), tous très odorants.

6   LIGNÉE 'GLOIRE DE DIJON'

Apparentés au fameux rosier de Noisette du même nom, et à travers lui aux rosiers Thé, ils portent des feuilles plus « modernes » et de grandes fleurs lumineuses, dans des tons de jaune et d'abricot. Ils comprennent 'Evelyn' (ci-dessus), 'Jayne Austin', et 'Sweet Juliet', tous possédant un peu l'odeur du rosier Thé.

8   LIGNÉE 'THE SQUIRE'

Apparentés à 'Chianti' et 'Gipsy Boy', ils renferment la plupart de nos variétés rouges et cramoisies. Leur coloris tend vers une teinte sombre, riche, leurs tiges sont épineuses et leur parfum capiteux. Les rosiers rouges sont réputés difficiles à obtenir, mais cette lignée comporte quelques merveilles, telles que 'L.D. Braithwaite' (ci-dessus) et 'The Dark Lady'.

LA ROSE ANGLAISE IDÉALE

Un rosier, pour mériter le titre de rose anglaise, doit posséder certains critères – forme des fleurs, richesse du parfum, port naturel et surtout du charme, de l'attrait – issus de son ancêtre « ancien », mais qui lui appartiennent en propre. Ces caractéristiques mises en commun distinguent les roses anglaises du reste des rosiers modernes.

EN CROISANT mes rosiers, j'ai toujours en mémoire ce que je voudrais qu'ils soient. Jusqu'à présent à l'aide de quelques exemples, j'ai donné une description générale de leurs qualités pour illustrer leur histoire. Maintenant, je voudrais parler plus en détail des roses anglaises et dire quelques mots des critères qui ont présidé à leur sélection, ainsi que mes espoirs pour l'avenir. À mes yeux l'essentiel est de savoir si les roses anglaises doivent devenir une classe à part entière – et non des buissons modernes de plus – , elles doivent présenter alors un caractère suffisamment particulier et apporter une contribution unique dans la grande famille des roses.

Les principes de base pour constituer la rose anglaise idéale sont détaillés ci-après. Ils comportent la beauté de la forme, la pureté du coloris, un port aimablement naturel, un beau feuillage et un parfum fort. Cette dernière qualité confère une dimension supplémentaire au rosier, et j'y accorde tant d'importance que j'y ai consacré un chapitre à part (voir pages 43-47). D'autres caractères, tels que la robustesse et la santé, doivent exister, c'est l'association des qualités qui donne sa

Ci-contre, célébration des roses anglaises avec trois variétés récentes, 'Glamis Castle' (tout en haut), 'Evelyn' (à droite et à gauche) et 'Redouté'. Ci-dessus, 'Wise Portia'.

personnalité à une rose anglaise. Il ne suffit pas, par exemple, que la plante produise des fleurs de type vaguement ancien pour être une rose anglaise. Il n'est pas difficile d'imaginer des fleurs géantes mousseuses et vivement colorées de ce type, mais ne possédant rien d'autre que leur taille et leur éclat. De telles roses sont faciles à obtenir, c'est d'ailleurs le sort de beaucoup d'autres plantes populaires. Il serait aisé de se fourvoyer dans cette direction sans s'en rendre compte. Ce qu'il nous faut discerner, c'est l'essence d'un rosier – les qualités spécifiques qui ont donné à la rose sa place unique dans nos cœurs depuis des siècles. C'est pourquoi nous devons disséquer autant que possible, les roses anglaises.

FORME DES FLEURS

Dès le premier regard sur les roses anglaises on constate que la forme de leurs fleurs diffère totalement de celle des autres roses actuelles. Chez les hybrides de Thé et, bien sûr, la plupart des Floribundas, la beauté de la fleur apparaît dans le bouton qui éclôt. Ces fleurs sont très jolies, mais d'une beauté éphémère : à peine écloses, n'apparaît qu'un fouillis de pétales. Les obtenteurs ont poussé si loin le bouton turbiné qu'il arrive difficilement à s'ouvrir en une fleur possédant les lignes d'une forme précise.

Inconnue pendant les milliers d'années d'évolution des rosiers, ce n'est que depuis cent cinquante ans que cette forme est devenue à la mode. Avant cette date, tous les rosiers anciens portaient des fleurs ouvertes, comme les pivoines ou les œillets. Les roses anglaises annoncent le renouveau de cette forme. Les fleurs doivent être aussi belles en bouton, même si elles ne sont pas « spiralées » comme chez les hybrides de Thé. Elles sont plutôt du type coupe fermée. La fleur suit une succession d'étapes charmantes, une fois tout ouverte sa splendeur est à son comble. Elle la conserve un certain temps, car si les pétales externes meurent, ceux de l'intérieur restent frais. Les roses anglaises ont des fleurs relativement durables – ce qui les rend précieuses pour les bouquets (voir page 71).

Forme de base de nos roses, la « rosette » est le premier stade de développement des roses sauvages vers les roses de jardin, quand elles ont émis des fleurs doubles. Cette duplicature, due à la transformation naturelle des étamines en pétales, apparaît chez de nombreuses plantes, pas seulement chez les rosiers. Le mot « rosette » (littéralement : en forme de rose) semble incongru, appliqué à… des roses, mais indique à quel point les rosiers modernes, à cœur pointu, se sont éloignés des modèles d'origine. Une rosette typique peut prendre divers aspects (voir page ci-contre) : emplie de pétaloïdes serrés, par exemple, ou moins garnie, parfois de pétales plus grands.

Chez quelques variétés de roses anglaises, les pétales centraux ne s'épanouissent pas normalement et restent repliés, les autres s'ouvrant légèrement. Ce type de fleur est dit « à quartiers ». Dans un autre type, les petits pétales du centre gardent la forme d'un bouton, on les dit « à œil ». Ce dernier est tantôt de la couleur de la fleur, tantôt vert, offrant alors de lumineux contrastes. Les fleurs peuvent être modelées en diverses formes, s'ouvrant à plat ou légèrement rehaussées sur les bords pour donner une coupe. Les pétales peuvent même se recourber, en lisière, pour former un dôme.

Parmi les variétés à grands pétales, les fleurs forment soit une « coupe », soit un « calice » rond. Si elles sont libres à l'intérieur, laissant voir les étamines, on parle de « coupe ouverte ». Le plus souvent, le cœur est garni de pétaloïdes. Une « coupe pleine » est occupée entièrement par ses pétales. Quand les pétales s'incurvent

Plantées en masses, les roses anglaises offrent un éventail spectaculaire de jolies formes de fleurs, dont le délicieux parfum baigne l'entrée du jardin.

FORME DES FLEURS

ROSETTE PLATE

ROSETTE OUVERTE

ROSETTE EN COUPE

COUPE PROFONDE

QUARTIERS

ROSE THÉ

COUPE PLATE

POMPON

SIMPLE

DEMI-DOUBLE

*Ces illustrations montrent quelques-unes des formes de fleurs
les plus répandues parmi les rosiers anciens et les roses anglaises.
On trouve souvent des variantes de chaque modèle.*

pour former une boule ou un globe, la fleur est dite « globulaire ». Si, à l'inverse, les pétales sont ourlés au bord, nous avons un « dôme fermé ».

Parmi les roses anglaises, on trouve des fleurs « simples » ou « demi-doubles ». Selon les critères normaux il n'y aurait aucune raison de les inclure dans les roses anglaises dans la mesure où elles n'ont pas un air « ancien ». Si l'ensemble de la plante est analogue au groupe entier, on peut alors l'y admettre. Les fleurs simples, avec leurs élégantes étamines, peuvent être très belles.

Il existe quantité d'intermédiaires entre tous ces types. Jamais deux variétés n'ont exactement la même forme de fleurs et les pétales peuvent s'offrir toutes les fantaisies, avec des résultats souvent intéressants. Les fleurs changeant constamment en vieillissant, la situation se complique. Elles peuvent démarrer en « coupe » bien marquée, et terminer sous forme de « rosette ». La terminologie appliquée aux diverses formes se fonde sur leur état final.

Les roses anglaises augmentent, dans le jaune, la gamme de coloris des rosiers anciens. 'The Pilgrim' est d'une nuance tendre, caractéristique, qui vire au blanc sur les bords.

COULEUR ET MATIÈRE

Principale caractéristique des fleurs, la couleur est intimement liée à la matière des pétales qui tantôt absorbe, tantôt renvoie la lumière. On assiste depuis peu chez les rosiers, à l'apparition de coloris nouveaux, toujours plus lumineux, tels que des jaunes vifs, des rouges et vermillons brillants, et toute une série de tons en dehors ou à l'intérieur de ces gammes. Belles en soit je trouve ces couleurs peu appropriées aux roses. Il y a sûrement place pour une touche rouge vif dans un jardin où dominent les pastels, mais, dans l'ensemble, la rose est une fleur qui s'accorde mieux aux tons plus doux et plus riches. Chaque fleur a ses couleurs de prédilection ; celles qui conviennent à un iris n'iront pas forcément à une rose. De plus, comme pour les tissus et peintures d'intérieur, il y a de bonnes ou mauvaises couleurs, voire franchement criardes, de même nous utilisons parfois des mélanges ratés.

Un groupe efficace de 'Gertrud Jekyll' ; ses boutons raffinés, roses, deviennent par étapes des fleurs de type ancien, à plein épanouissement.

Les obtenteurs d'hybrides de Thé et de Floribundas sont sensibles à cet argument, et souvent leurs nouveautés sont parées de tons nettement moins durs qu'autrefois. En 1986, un pépiniériste hollandais cultivant des roses anglaises pour toute l'Europe, me confiait que la demande allait, pour les deux tiers, à des roses rouge vif et pour un tiers à tout le reste – ce qui nous laissait peu d'espoir. Cinq ans plus tard, la tendance était exactement inverse. Désormais les roses anglaises ont surtout des tons de rose, abricot, pêche, lilas, jaune et crème, avec de rares cramoisis, pourpres et mauves. En outre, nous sélectionnons des couleurs pures, sans teinte parasite. Il fut un temps où les roses clairs, purs, sans trace de jaune, ne se trouvaient que parmi les rosiers anciens. Cette clarté, ou pureté, s'est transmise aux roses anglaises et nous souhaitons la conserver. Nombre de variétés modernes ont des coloris si mêlés, après des générations d'hybrides, qu'il est très difficile d'y trouver un ton franc.

L'un des grands atouts de la forme des fleurs des rosiers « anciens », est leurs nombreux pétales, souvent serrés qui donnent de la profondeur aux tons. Mais sans le jeu de lumière entre eux et à travers eux, le seul nombre de pétales n'y parviendrait pas. Des pétales très variés, tantôt satinés ou brillants, tantôt transparents s'ajoutant aux constants changements de lumière, donnent aux roses anglaises leur charme unique et leur teint lumineux.

VÉGÉTATION ET FEUILLAGE

La végétation de la plante compte presque autant que les fleurs elles-mêmes. Bien sûr la rose, toute seule, peut être indéniablement belle et cela suffit pour choisir le rosier. Dans la dernière moitié du XIXe siècle, les rosiers n'étaient cultivés qu'en fonction de leurs fleurs et le port de la plante était sans importance. C'était le temps des roses « de concours », où la qualité de la fleur primait sur tout. Il faut demander plus que cela aux roses. Ce ne sont pas seulement nos fleurs préférées, mais les premières plantes d'ornement, et leur végétation ne doit être ni laide ni dégingandée.

La plupart des rosiers modernes ont un port raide et emprunté – ce qui peut être considéré comme une qualité en massif. La rose anglaise, avant tout plante de *mixed-border*, doit avoir, dans l'idéal, un port naturel, aimable. Il y a plusieurs voies : tout comme il faut de la variété dans les fleurs, il faut du changement dans l'aspect de la plante. Quant à la hauteur des roses anglaises, elle varie entre 40 cm et 2,50 m, mais dans

Autre exemple des tons doux, estompés des roses anglaises, 'Tamora' fait un bon associé, court, pour le Sisyrinchium striatum à cœur jaune.

l'ensemble elles se tiennent dans la moyenne (la norme est autour du mètre). Les rosiers peuvent être étroits et dressés, ou étalés ; denses, touffus, bien branchus, ou lancer de longs sarments courbes pour donner un arbuste plein de grâce. Ces divers ports ajoutent beaucoup au plaisir que nous donnent les rosiers et à leur intérêt comme végétaux, et ce, pour les différents emplois et emplacements dans les bordures et les autres parties du jardin.

Chercher à obtenir un beau port est toujours malaisé. Dans ce domaine, les roses anglaises, quoique aimables, ont encore des progrès à faire. Malgré toutes leurs qualités, les rosiers, en général, ne sont pas spontanément de bonnes plantes de jardin et un banal *Berberis*, par exemple, sera doté d'une allure et d'un port très supérieurs, même s'il n'a pas le quart de la beauté d'un rosier. À l'état sauvage, un rosier est un églantier qui émet chaque année de puissantes pousses pour dépasser les plantes, arbustes et arbres voisins, et ainsi pouvoir survivre. Les hybrideurs ont pris les rosiers et, avec leurs

moyens, ont tenté de les contrôler par sélection. L'indiscipline des rosiers fait à la fois leur charme et leur faiblesse. C'est à l'obtenteur de développer les caractéristiques avantageuses pour le jardinier ; et c'est au jardinier d'en tirer le meilleur parti dans son jardin.

L'autre aspect important chez les roses anglaises est le feuillage, formant un écrin pour les fleurs, il en rehausse la beauté. Un des moments le plus gratifiant de l'année, avec les rosiers, est l'éclatement des bourgeons à feuilles et la lente formation des jeunes feuilles fraîches apportant une promesse en été. Parmi nos rosiers, la texture varie considérablement, vue les origines diverses de ce groupe. Comme il s'agit, essentiellement, de mélanger des rosiers modernes à feuilles luisantes, et anciens à feuilles plutôt mates, les roses anglaises peuvent présenter tous les intermédiaires. 'Abraham Darby', par exemple, porte des feuilles brillantes comme celles d'un hybride de Thé ; à l'opposé, celles de 'The Reeve' ont une surface mate, plus proche d'un rosier ancien. La forme et la taille

Enjambant gracieusement les plantes vivaces, voici les longues tiges élégantes de 'Lucetta' ; ce port peut s'avérer très utile dans une bordure.

L'abondant feuillage buissonnant de 'Abraham Darby' forme un écrin parfait pour ses grosses fleurs roses et abricot. Le feuillage compte beaucoup dans l'effet produit au jardin par un rosier.

'The Countryman' porte des fleurs de vrai type ancien. Avec l'âge, il assouplit son port un peu raide et forme un gracieux buisson étalé.

varient également beaucoup : 'Claire Rose' donne des feuilles larges, modernes, alors que 'The Countryman' produit de longues feuilles tombantes, aux folioles très espacées, comme chez les rosiers de Damas.

Il n'est guère possible – ni souhaitable – de dire qu'un type de feuilles est « bon » ou « mauvais ». On me demande souvent pourquoi tous nos rosiers n'ont pas un feuillage de type « ancien », que je préfère aux autres, tout bien considéré. Je crois, toutefois, que des feuillages différents donnent du relief au groupe. De toute façon, il est difficile, quand on veut prendre certaines qualités à un rosier moderne, de ne pas voir apparaître d'autres influences dans le feuillage et le branchement. L'important est que ce feuillage soit adapté et abondant. Mais sur ce point, nous ne pouvons être trop rigoureux : il y a des tiges rigides, bien droites, aux feuilles rares, qui ne manquent pas d'attraits.

Nous tentons dans nos rosiers d'associer dans la même plante la beauté des fleurs et celle de la végétation. Simplement certaines variétés réussissent mieux que d'autres. 'Lucetta', 'Golden Celebration' et 'Lilian Austin' sont de bons exemples de rosiers à longues tiges arquées, élégantes ; 'Mary Rose', 'Heritage', 'Redouté' et 'Abraham Darby' ont un joli port trapu ; 'St Cecilia' est légèrement courbé, s'inclinant vers nous pour présenter ses fleurs comme dans une révérence ; et 'Glamis Castle', 'Wife of Bath', 'Country Living' et 'The Herbalist' sont tous des plants branchus, courts et serrés.

SANTÉ ET VIGUEUR

Nous devons prendre en compte autant des aspects terre-à-terre, qu'esthétiques. La plante doit végéter et se développer vigoureusement en produisant des fleurs avec abondance et régularité. La santé reste fragile chez de nombreux rosiers. On parle parfois de la récente baisse d'engouement pour les hybrides de Thé et les Floribundas qui tient aux traitements nécessaires contre maladies et parasites, ce qui demande du temps et du travail, tout au long de la saison. (À mon sens cette désaffection tient à ce que le public se lasse de voir toujours les mêmes variétés.) Quelle que soit la cause, la bonne santé est désormais un facteur que nous prenons sérieusement en considération à tous moments de nos recherches.

Toutes les variétés récentes de roses anglaises sorties de nos pépinières ont subi huit années d'essais pour tester leur résistance. Il n'existe pas encore de rosiers totalement immunisés contre les maladies – y compris parmi nos créations – bien que certaines espèces sauvages soient épargnées. Au fur et à mesure, nous affinons notre expérience en la matière et nous espérons obtenir prochainement un degré de résistance élevé. Si nous devions – ce que nous ne souhaitons pas – laisser de côté la beauté des fleurs et la végétation, nous obtiendrions plus facilement des plantes résistantes. Le choix est là ; quand il y a eu des progrès

'Gruss an Aachen' est une rose anglaise à forte végétation, dont les fleurs rose nacré ajoutent au charme d'une bordure de roses anglaises et de rosiers arbustes mêlés. Le grimpant au fond est 'Goldfinch'.

succès. Encore faut-il ajouter la vigueur par l'apport de sang neuf à travers des espèces botaniques robustes. Pour les roses anglaises, la tâche a peut-être été encore plus lourde, car nous demandons à nos rosiers d'être mieux que des plantes à massifs, et de s'avérer de bons arbustes d'aspect naturel. Alors que les hybrides de Thé et les Floribundas sont taillés presque au ras de terre chaque année, les roses anglaises doivent être capables de pousser plus haut tout en donnant régulièrement des fleurs.

Voilà pourquoi il est assez juste de dire que ces rosiers sont moins régulièrement remontants que les autres rosiers modernes. Leur tendance est de fournir deux grandes séries de floraisons en début de saison : la première sur les latérales de l'année précédente et la seconde sur de longues pousses issues de la base. Puis il y a une sorte de pause, avec quelques fleurs seulement jusque tard en saison, où apparaît de nouveau une forte vague. Quelques variétés plus régulières dont 'Mary Rose' (et ses deux mutations), 'Winchester Cathedral' et 'Redouté', 'Glamis Castle' et 'L.D. Braithwaite' sont de bons exemples. La continuité dans la floraison tient aussi au climat dans lequel pousse le rosier. En climat chaud, telle la Californie, on aura deux vagues importantes, une au printemps et l'autre en automne. Plus au nord, quand la saison est courte, en Écosse par exemple, la seconde vague aura de la peine à arriver avant l'hiver. Une taille précoce allongera la saison.

considérables sur la résistance, ils se sont toujours faits, à mon avis, au détriment de la beauté des fleurs.

La vigueur et la capacité à pousser dans des conditions pas toujours idéales sont également vitales dans notre recherche. Nous avons fait dans ce domaine d'énormes progrès depuis nos débuts ; certains diront même que nous avons compensé, et au-delà, ces derniers temps, la faiblesse évidente des premières variétés de roses anglaises.

Comme la remontance n'est pas généralement une qualité spontanée chez les rosiers (seuls les rosiers botaniques *R. rugosa*, *R. fedtschenkoana* et *R. bracteata* sont remontants, dans la nature), l'homme a tout misé sur ceux-là dans sa quête de cette qualité. Il n'a jamais été facile d'obtenir de bons rosiers remontants et c'est pourquoi les bonnes variétés nouvelles sont toujours des

L'un des plus réguliers dans la floraison, 'L.D. Braithwaite', cramoisi, porte des fleurs richement colorées qui font le meilleur effet ici contre des Nepeta pourpres.

*Cette débauche de roses anglaises, opposées aux épis des digitales,
donne tout son caractère à ce jardin se détachant sur un admirable
paysage montagnard.*

PERSONNALITÉ

La rose anglaise idéale doit avoir par surcroît, outre les qualités précitées, du « cachet », de la « personnalité ». Cette notion est difficile à rendre par des mots, mais ça ne m'empêche pas d'y faire constamment allusion. C'est mieux qu'une somme des différents éléments : beauté, vigueur, santé, remontance, parfum, etc. C'est une qualité intrinsèque, reconnaissable au premier coup d'œil chez les rosiers anciens et qui manque d'ordinaire à leurs contemporains. Ce côté « vieille France » se résume mieux dans un trio de qualités – douceur, délicatesse, beauté. Ces qualités impalpables, attachées à la rose plus qu'à toute autre fleur, sont ce que nous cherchons à développer dans la création de roses anglaises. Toutes nos plantes ont été conçues avec cet objectif ; celles qui y échappaient étaient éliminées sans sentimentalité excessive. De tels arbustes sont facilement perdus par une sélection trop peu rigoureuse.

Pour mon grand plaisir, un ou deux autres obtenteurs se mettent à faire des roses anglaises, et j'espère qu'ils ne perdront pas le cachet subtil de ces rosiers dans leurs réalisations. Conserver ce caractère dans une classe de rosiers est difficile à dire, puisqu'il est à peu près impossible de mettre noir sur blanc des règles comme on en voit dans les concours internationaux. Il est déjà malaisé de codifier des notions tangibles comme la santé, la vigueur et la floribondité, sans parler d'imposer des standards pour de subtiles qualités esthétiques. Je n'en considère pas moins que ces qualités doivent être améliorées et conservées et qu'il est primordial que le concept de rose anglaise soit compris et apprécié à sa juste valeur.

LE PARFUM DES ROSES ANGLAISES

Le parfum, a-t-on dit, est l'âme des roses. C'est peut-être un peu emphatique, mais l'idée n'est pas si incongrue qu'il y paraît. Comme l'âme, le parfum est insaisissable, car il n'a pas de substance. Vous ne pouvez le prendre dans vos mains – il est toujours mouvant et changeant.

L E SENS olfactif est un des plus subjectifs de tous. Même si l'on ne voit jamais exactement la même chose qu'un autre, on arrive à s'accorder sur la vue et à la mesurer. Bien qu'il soit difficile de définir les couleurs à l'aide des mots, on arrive à un consensus grâce à une échelle de valeurs et d'associations qui ont un sens. Quand on arrive à l'odorat, nous n'avons pas de tels recours et nous sommes bien embarrassés, généralement, pour décrire la multitude de différentes fragrances qui nous entourent. La perception des odeurs, de plus, varie notablement d'un individu à l'autre et peu d'entre nous sont rompus à traduire leurs sensations en un langage clair pour les autres. L'association la plus proche se fait avec le goût mais dans ce cas, s'il est aisé de cerner ce qui est sucré, acide ou amer, nous manquons de mots pour définir les subtiles variations que le nez analyse. Malgré – ou à cause de – cela, les parfums ont un puissant pouvoir émotionnel, touchant au plus profond de notre mémoire.

C'est le parfum des roses qui, plus que tout, a été à l'origine de leur durable popularité dans le temps. Jusqu'à nos jours, les roses anciennes ont gardé la palme du parfum face à tous les autres groupes d'hybrides ; les roses modernes, y compris les hybrides de Thé et les Floribundas, ont peut-être un plus large éventail de senteurs, mais elles n'atteignent jamais la somptuosité des vieilles variétés. L'odeur des roses, fournie essentiellement par les pétales (et parfois les étamines), est puissamment diffusée dans l'atmosphère quand la maturité de la fleur et les conditions météorologiques

'Evelyn' (à gauche) et 'Gertrude Jekyll' (ci-dessus, avec Echium candicans) sont deux des roses anglaises les plus parfumées. Ces deux rosiers donnent de grosses fleurs de qualité parfaite.

sont à point. Les roses doubles, c'est évident, donnent un plus grand volume de parfum que les simples ; les meilleures conditions nécessitent une atmosphère calme, tiède et humide, et pas trop de chaleur. Le parfum est utilisé par la plante pour attirer les insectes pollinisateurs. Il se diffuse quand l'huile essentielle, ou « attar », est libérée par l'éclosion de la fleur. Les roses sont parmi les plus complexes des fleurs de jardin, pour la gamme d'odeurs, et la distillation d'essence de rose a été pendant des siècles une florissante industrie dans de nombreuses parties du monde. L'eau de rose, à laquelle on attribue toujours des vertus curatives, est encore utilisée dans les cosmétiques et la cuisine.

La politique d'hybridation des roses anglaises s'est toujours guidée sur cet ingrédient capital des roses anciennes. À très peu d'exceptions près, les variétés que nous avons utilisées comme points de départ étaient toujours très odorantes, et celles que nous avons introduites dans leurs lignées l'étaient encore plus. Nous avons également eu une chance inouïe, nos premières roses anglaises étaient très aromatiques. Comme tout rosiériste le sait, on peut très bien croiser deux rosiers très parfumés et obtenir une plante sans aucune odeur. Fort heureusement, il semble que ce caractère soit bien ancré dans nos rosiers et la plupart des variétés obtenues ces derniers temps le possédaient au plus haut degré. Vous vous en rendez compte en vous approchant, dans les expositions, d'un banc de roses anglaises, qui vous enveloppent d'une houle richement

Jusqu'à l'obtention de 'Constance Spry', le parfum de myrrhe n'avait pas figuré chez une nouvelle rose depuis les années 1830-1845, où les sarmenteux d'Ayrshire furent introduits.

odoriférante – ce qui n'arriverait pas avec les rosiers modernes. Qu'il s'agisse de nos rosiers ou de ceux d'autres obtenteurs, je crains toujours que cette qualité disparaisse. Il faut être très vigilant. Il est très tentant d'introduire un très beau rosier, mais totalement inodore et parfois cela se justifie, mais peu souvent. Mais en l'utilisant à son tour comme parent, le parfum pourrait tout à fait disparaître avant que nous ne nous en rendions compte. À l'heure actuelle, je ne crois pas exagérer en disant que les roses anglaises, en tant que groupe, sont les plus parfumées des roses, y compris les roses anciennes.

Graham Stuart Thomas, dans son ouvrage classique en trois volumes, *The Old Shrub Roses* (1955), *Shrub Roses of Today* (1962) et *Climbing Roses, Old and New* (1965), donne une large gamme de parfums de roses. Par exemple, il perçoit chez certaines, la senteur du chèvrefeuille, chez d'autres, celle du pois de senteur, de la primevère, de la girofle ou de la pomme verte. Il donne là, bien entendu, les qualités de tous les rosiers, y compris grimpants et botaniques. Mais les roses anglaises sont déjà capables d'une belle démonstration due, sans doute, à la diversité de leurs parents. S'il est vrai que deux rosiers différents n'ont jamais le même parfum, on peut quand même classer les roses anglaises dans quatre principales catégories de parfum.

« MYRRHE »

Nombre de nos toutes premières variétés avaient une fragrance spéciale, épicée, parfois décrite comme celle de la myrrhe. Tout le monde n'accepte pas ce jugement, ce qui ne fait qu'illustrer la nature subjective de l'odorat. Graham Thomas, toutefois, a fait des essais comparatifs avec de la vraie myrrhe et maintient que la comparaison est judicieuse.

Comment ce parfum est-il apparu dans nos roses ? Mystère. Le seul élément de réponse est que 'Belle Isis', l'un des parents des roses anglaises, devait avoir dans ses ancêtres une variété de rosiers d'Ayrshire, nommée 'Ayrshire Splendens'. Ces rosiers furent parmi les premiers sarmenteux réputés pour leur rusticité. 'Ayrshire Splendens', également connu comme « la rose à odeur de myrrhe », est la seule variété, à mon

Les grandes fleurs opulantes de 'Charmian' portent le capiteux parfum
de « vieille rose » à un très haut degré. Le rosier, aux fortes pousses
étalées, peut être conduit comme un grimpant court.

avis, à posséder cette odeur particulière. La première rose anglaise, 'Constance Spry', était un croisement de 'Belle Isis' et 'Dainty Maid' et possède ce parfum de façon marquée.

Cette odeur a été léguée à bon nombre d'autres variétés de roses anglaises, telles que 'Chaucer' et 'Cressida', et s'est mêlée à d'autres fragrances dans des variétés récentes, donnant une vaste gamme de parfums.

« VIEILLE ROSE »

Les premières variétés de roses anglaises recroisées avec d'autres rosiers, dont d'autres rosiers anciens tels les Portland, Bourbon, etc., nous commençâmes à obtenir ce qu'on appelle communément le parfum de « vieille rose ». C'est l'odeur associée avec les rosiers européens d'origine, avant l'arrivée des rosiers de Chine. C'est une senteur particulièrement capiteuse et sans doute la meilleure parmi toutes ses sœurs. Parmi nos rosiers, le meilleur exemple est fourni par 'Gertrude Jekyll' dont je trouve le parfum comme étant à la fois l'un des plus puissants et doux. D'autres variétés se distinguent par cet arôme dont 'Charmian', 'The Countryman' et l'écarlate 'The Prince'.

« ROSE THÉ »

L'odeur de rose Thé est également présente chez les roses anglaises. Cette rafraîchissante senteur est arrivée avec les premiers rosiers de Chine vers la fin du XVIIIe siècle et, par le biais de générations d'hybrides de Thé et de Noisette, se trouve être actuellement un des parfums dominants des roses anglaises. Certains le décrivent comme légèrement « fumé » à l'instar du thé de Chine ; d'autres n'approuvent pas cette définition,

'Graham Thomas' se fait remarquer par sa nette odeur de thé.
Dotée de nombreuses autres qualités, cette variété jaune
est une des meilleures et plus populaires.

mais personne ne peut affirmer que cet arôme n'est pas délicieux, voire puissant sans être jamais entêtant. Chez les roses anglaises, il est surtout prépondérant dans les fleurs jaunes de 'Jayne Austin' et de 'Graham Thomas'. 'Sweet Juliet' en est également doté.

« ODEUR FRUITÉE »

Enfin, et moins important pour les roses anglaises, nous trouvons ce qu'on englobe sous le terme de « fruité » – un parfum rappelant les pommes, et peut-être les framboises, fraîchement cueillies. C'est une odeur vive, très différente des autres parfums capiteux. Ce n'est pas mon odeur préférée mais je ne voudrais pas m'en priver, car elle donne du piment au plaisir de humer une rose pour y trouver une senteur nouvelle. Essentiellement, cette odeur provient des hybrides de Wichuraiana auxquels se rattachent la plupart des sarmenteux. De là, elle est passée à une foule de grimpants modernes qui ont servi dans les lignées de rosiers comme 'Leander' et 'Yellow Button'.

LA COMPLEXITÉ DES PARFUMS

Bien que j'aie donné les quatre principales catégories des parfums des roses anglaises, je ne voudrais pas laisser l'impression qu'on peut les classer dans des catégories bien définies, car c'est loin d'être le cas. De fait, ces rosiers ont des origines si mêlées, encore compliquées par les croisements, qu'on peut y distinguer toutes sortes de gradations d'odeurs. L'intérêt et le grand plaisir que nous prenons à les sentir de près pourraient être encore augmentés si nous éduquions notre odorat pour créer des distinctions, comme nous le faisons en gastronomie.

En 1991, nous avons introduit un rosier nommé 'Evelyn' pour M. Cyrus Harvey, propriétaire de la célèbre firme de parfumerie Crabtree & Evelyn. Son idée était de créer une ligne de produits portant le parfum de cette variété – ce que personne à ce jour n'avait encore fait pour une rose. Ce rosier est non seulement une de nos plus grandes réussites, mais il

surpasse peut-être 'Gertrude Jekyll' pour le parfum, s'il est possible d'affirmer quelque chose dans ce domaine. Dans notre intéressante collaboration avec Crabtree & Evelyn, nous avons été à même d'améliorer notre connaissance sommaire sur l'alchimie des parfums de roses. Nous fûmes satisfaits d'apprendre, par exemple, que selon l'analyse effectuée par un expert français de l'industrie du parfum, l'essence de la rose 'Evelyn' ne comportait pas moins de quatre-vingt-quatre produits chimiques, dont de l'acétone et du benzène. Même si l'on peut affirmer à coup sûr que tous n'ont pas une incidence déterminante sur son parfum, cela illustre parfaitement la déroutante complexité de la nature – et du parfum, en particulier.

Celui-ci étant l'un des attributs majeurs des rosiers, je voudrais que l'on choisisse les roses non seulement pour leur couleur, leur forme et leur végétation, mais également pour leur parfum, du point de vue non seulement de sa puissance, mais aussi de sa qualité. Alors, une rose jaune ou rose, d'une taille et d'une hauteur données, sera choisie en fonction d'un parfum précis, fruité, épicé ou autre. Voilà qui, j'en suis sûr, ajouterait beaucoup au plaisir de monter une collection de rosiers. On apporterait alors autant de soins à associer les parfums, dans les plantations, que nous en mettons à associer les plantes en fonction de leurs matières, couleurs, feuillages ou formes. Ainsi, progresserions-nous beaucoup en inventant un langage des parfums pour que les livres et catalogues puissent donner des renseignements plus précis.

Nous avons fait notre possible, dans nos croisements, pour apporter un maximum de parfums chez les roses anglaises, dans une gamme aussi fine et large que possible. Car il est évident que si tous les parfums de roses sont aimables, certains plaisent plus que d'autres. Une seule fois, au cours de nos recherches, nous avons obtenu un parfum désagréable ; naturellement, le rosier est aussitôt éliminé. Je pense que, pour l'essentiel, nous avons conservé dans les roses anglaises nombre de parfums des roses du passé et même étendu la gamme dans certains cas.

Les roses anglaises sont si odorantes qu'un bouquet peut parfumer toute une pièce. Celui-ci comprend 'Bibi Maizoon', 'The Nun', 'Lucetta', 'Peach Blossom' et 'Glamis Castle'.

LES ROSES ANGLAISES AU JARDIN

L'une des nombreuses qualités des roses anglaises est leur compatibilité
avec les autres plantes d'ornement. On peut cultiver ces rosiers
dans une mixed-border, les planter en association avec des rosiers anciens,
ou bien en faire des massifs entiers. On peut compter sur eux pour jouer leur rôle
au jardin et donner un splendide effet pendant tout l'été.

VERS LE MILIEU du XIXe siècle avec l'arrivée des hybrides remontants, puis vers la fin de ce siècle avec celle des hybrides de Thé, les rosiers ont commencé à perdre leur rôle traditionnel de fleur de jardin – fonction qu'ils n'ont timidement reprise que très récemment. Nombre de raisons ont engendré ce phénomène. La première fut la vague des expositions de roses, entraînant chez les obtenteurs un travail quasi exclusivement destiné au stand, concentré sur la seule fleur au détriment des autres qualités.

Au début de ce siècle, un autre événement a contribué au déclin des rosiers comme plantes de jardin. Les hybrides de Thé – puis les Floribundas – devenant rapidement populaires, le goût pour les rosiers en massifs est apparu. La végétation basse, régulière, et la longue période de floraison de ces rosiers en firent d'admirables sujets pour la culture en massifs formels où ils étaient seuls présents. Malheureusement, ces qualités - mêmes, liées à leurs couleurs souvent criardes, les

Les formes érigées contrastent toujours avec les fleurs trapues, aux nombreux
pétales, des roses anglaises. 'Mary Rose' est planté ici en compagnie de
Veronica spicata et de l'aconit blanc, Aconitum napellus 'Albidum'.

rendaient inadaptées aux *mixed-borders* comme au reste du jardin. Il faut un port plus gracieux, buissonnant, naturel et une palette de couleurs mieux adaptée.

La forte remontance de ces rosiers – qui les rendait parfaits pour les massifs – a, paradoxalement, diminué le rôle général des rosiers au jardin. La remontance va de paire avec un port trapu ; chez ces rosiers, la plante ne gaspille pas son énergie à fabriquer un gros arbuste mais émet continuellement à la base des pousses à fleurs. Rien n'empêcherait qu'un rosier remontant soit également un bon arbuste d'ornement mais, à l'évidence, une longue floraison est plus difficile à obtenir sur un rosier buisson que sur un rosier à massifs. Le rosier buisson, lui, utilise son énergie dans sa végétation plutôt que dans ses fleurs.

Notre objectif particulier a été d'obtenir des rosiers qui fournissent à la fois des fleurs réussies – une fleur parfaite n'est-elle pas, après tout, une des joies de l'été ? – et un port plaisant, buissonnant qui en fasse une bonne plante de jardin. Nombre d'autres rosiers buissons modernes sont remontants, dont certains sont excellents. Mais presque tous ressemblent aux roses

Une allée sépare deux bordures de rosiers et de vivaces, liserées de buis.
Les rosiers poussent à l'aise s'ils n'ont pas à lutter pour l'espace
et la nourriture.

modernes et produisent rarement des fleurs bien déve-
loppées. Le grand charme des roses anglaises tient dans
la beauté de chaque fleur ; en outre, ce sont d'élégants
arbustes qui trouvent place dans n'importe quelle composition. Ils ont en commun avec les rosiers anciens
leurs tons doux et leur port naturel et s'avèrent de très
aimables compagnons, tant mêlés à d'autres plantes
qu'entre eux. Là où autrefois, on aurait retenu des
rosiers anciens en leur associant des acolytes qui les
relaient quand ils sont défleuris, il est désormais possible
d'opter pour des roses anglaises et d'imaginer, alentour
de leurs belles fleurs, des effets colorés pour tout l'été.

CONSIDÉRATIONS PRATIQUES

Il y a quantité de façons d'utiliser des roses anglaises
au jardin. Cependant avant de les voir en détail, il y a
deux points pratiques que je crois de la plus haute
importance à signaler pour réussir une association entre
ces rosiers ou n'importe quel rosier remontant. Le
premier point concerne la plantation en groupes, et le
second est d'éviter la concurrence des plantes voisines.
Rappelons que la faculté de fleurir plusieurs fois par

saison n'est pas naturelle aux rosiers : c'est un caractère
qui leur a été adjoint peu à peu par l'homme. La pro-
duction d'autant de fleurs, sur une longue période,
généralement doubles et avec beaucoup plus de pétales
que n'en possédaient les espèces d'origine, demande à
la plante un effort considérable. Il est donc peu raison-
nable d'attendre d'un tel rosier qu'il forme un large
buisson aussi dense qu'un rosier ancien non remontant
ou qu'il supporte une compétition sévère. Ce problème
n'est pas spécifique aux roses anglaises et concerne tout
autant certains rosiers de Chine, Bourbon et Portland
remontants, que les hybrides de Thé et les Floribundas.

La première solution est de planter autant que possible des groupes serrés de deux ou trois plantes d'une
même variété (voir page 147). Placez-les à 50 cm de
distance les unes des autres, un peu plus pour les
variétés vigoureuses. Ainsi, elles pousseront ensemble
pour ne former qu'un seul buisson avec deux ou trois
points pour accéder à la terre. Un tel buisson aura beaucoup plus de forme et de tenue qu'un sujet isolé et
donnera une floraison plus abondante et plus longue.
Dans les petits jardins où tout est plus réduit, un sujet
isolé est tout à fait justifié, même si en plantant par
deux ou trois, l'effet est bien meilleur.

Il n'y a là rien de très original. C'est une pratique courante pour les plantes vivaces et les arbrisseaux, mais elle reste sous-employée, à mon avis, avec les rosiers buissons. Les roses anglaises, comme toutes les plantes, gagnent à être plantées en touffes et non éparpillées au petit bonheur dans une bordure : un seul exemplaire se perd facilement dans l'abondante végétation des plantes voisines. La plantation groupée coûte plus cher au départ mais, à long terme, l'investissement est justifié : non seulement vous éviterez l'aspect « échantillon » des plantes isolées, mais vous obtiendrez un effet plus spectaculaire et un tracé plus charpenté avec des groupes de mêmes individus.

L'autre point est de choisir avec soin les plantes qui entourent vos rosiers. Si la remontance signifie pour un rosier qu'il peut former un buisson dense, elle réduit également sa résistance à la concurrence. C'est vrai pour les roses anglaises comme pour la majorité des rosiers remontants. Il faut toujours donner la place d'honneur à ces rosiers – et même plantés en compagnie de plantes vivaces moins vigoureuses, on doit leur laisser beaucoup d'espace. De la sorte, non seulement ils végètent mieux, mais on laisse la place pour les apports d'engrais et autres façons culturales qu'ils requièrent. Le vide, pour être franc, n'est pas assez grand pour se remarquer et rompre l'effet général de la bordure. Il est utile de souligner que, quel que soit le rosier associé à d'autres plantes, il demandera les mêmes soins que dans une plate-bande de rosiers seuls ; il est facile de l'oublier dans l'abondance et le mélange d'une *mixed-border*.

FAIRE UN PLAN

Comme pour toutes les étapes du jardinage, il est important de faire un plan avant de planter. En regardant les portraits de rosiers, et en lisant la description des diverses variétés (pages 79 à 143), vous pourrez vous faire une idée de la taille, de la nature et de la couleur du rosier adulte. Vous aurez alors les éléments pour imaginer où placer vos rosiers et pour décider quelles plantes doivent les accompagner. Les roses anglaises, comme je l'ai dit auparavant, sont à leur aise avec beaucoup d'autres arbustes et plus encore avec les plantes vivaces. Leur longue saison de floraison leur permet de s'épanouir avant nombre de leurs voisines et après que beaucoup de fleurs se sont fanées. Dans une *mixed-border*, elles donnent cette permanence propre aux arbustes : quand les vivaces ont disparu sous terre pour l'hiver, elles sont toujours là.

Les roses anglaises se plient aux mêmes usages que les rosiers anciens, à cela près que leur longue floraison vous obligera à songer avec plus de soins aux couleurs des plantes qui les entourent. Il n'y a pas de loi en la matière et les possibilités offertes sont quasi infinies.

Plusieurs pieds de 'Cymbeline', groupés pour former une masse généreuse, montrent les avantages d'une plantation en bosquets, quand on a la place !

Une répartition élaborée des hauteurs et des formes donnera une bordure harmonieuse. Ici, 'Graham Thomas' accompagne Gentiana lutea, Delphinium 'Black Knight' et Aconitum napellus.

L'un des plaisirs du jardinage tient à la part de hasard qui intervient – bien des associations végétales les plus réussies sont le fruit d'un accident. S'il se produit dans vos compositions, ne modifiez surtout rien dans vos plantations et concevez le reste autour ; quant aux mélanges sans succès, il est toujours temps de les changer.

LES ROSES ANGLAISES DANS LES « MIXED-BORDERS »

Pour la plupart d'entre nous, la rose est la fleur préférée et la plus importante du jardin. Cependant, pour des raisons de place, les rosiers doivent partager avec d'autres plantes, faute d'avoir une bordure pour eux seuls. Pour cet usage, les roses anglaises sont plus accommodantes que quantité d'autres rosiers modernes, dont les couleurs souvent fortes et les lignes raides font de mauvais compagnons en *mixed-borders*. Avec les hybrides de Thé et les Floribundas, il y a même conflit parfois, ce qui rend sage de les planter en massifs complets. La pire erreur commise avec les roses anglaises est peut-être de les traiter comme n'importe quel rosier moderne.

Mêlées à des hybrides de Thé ou des Floribundas, elles perdent toute leur beauté : cette alliance est impossible comme le mariage de la carpe et du lapin, leurs formes se heurtent et s'enlaidissent mutuellement.

La forme et la composition d'une *mixed-border* se conçoivent à tête reposée. Par exemple, la hauteur d'une variété de rosier compte beaucoup dans le choix de sa place. Il faut s'assurer qu'elle est proportionnée aux plantes qui l'entourent. En général, les grands rosiers verticaux comme 'Financial Times Centenary', 'Charles Austin' et 'Swan' se trouveront mieux en fond de bordure, où leurs longues tiges maigres seront habillées, à l'avant, par des plantes plus courtes et plus trapues. Mais tentez d'éviter une bordure trop régulière : il n'est que trop facile d'obtenir un effet de tribunes de stade, avec des plantes bien rangées par hauteurs. Un doux mouvement, fourni par des touffes de hauteurs différentes, est parfait. Et si, de temps en temps, une variété plus élevée émerge du reste, l'effet n'est que plus réussi.

Le choix des variétés importe beaucoup. Certaines, telles que 'Lucetta', 'Cymbeline', 'Dove', 'The Reeve', 'English Elegance', 'Lilian Austin', 'Bibi Maizoon' et 'Warwick Castle', ont une allure particulièrement

Plusieurs variétés de roses anglaises peuvent être taillées comme grimpants courts, sur pyramides par exemple, et donner à une bordure un élan souhaitable. Le rosier, à gauche, est 'Rosy Cushion'.

Cette bordure, bien modelée, contient 'Windrush', excellent rosier que je ne puis qualifier toutefois de rose anglaise, et 'Wife of Bath' à l'arrière-plan.

LES BONNES ASSOCIATIONS

Le jardinier éprouve une grande part de son plaisir à concocter des associations savantes. Mon modeste espoir est d'en indiquer quelques-unes valables pour les roses anglaises. Les suggestions que je fournis sont essentiellement valables pour un climat comparable à celui de la Grande-Bretagne. Dans ce court chapitre, je ne puis faire un tour exhaustif de toutes les possibilités et, de toute façon, c'est le jardinier qui est juge en dernier recours. Ce que je peux faire, c'est donner des indications pour les roses anglaises en bordure et signaler mes préférences pour des associations harmonieuses.

Les formes mousseuses de vivaces répandues, tels Geranium psilostemon et Nepeta 'Six Hills Giant', se marient toujours bien aux fleurs charnues des rosiers anciens et des roses anglaises.

souple, contrastant bien avec des végétaux aux ports différents. Les variétés comme 'Mary Rose', 'Heritage', 'Abraham Darby', 'Jayne Austin', 'Perdita' et 'Graham Thomas' sont plus touffues. Hautes de 1,20 m environ, elles peuvent servir de pivot central à une association de plantation. Beaucoup de roses anglaises ont une végétation courte, branchue, dense, parfaite pour la lisière de la bordure. En font partie 'Wife of Bath', 'L.D. Braithwaite', 'Charles Rennie Mackintosh', 'Glamis Castle', 'Cottage Rose', 'Country Living', 'St Cecilia' et 'Peach Blossom'.

Comme nous ne sommes pas tenus par le port naturel des rosiers, il est possible de tricher un peu. À la taille, évitez l'erreur consistant à couper toutes les jeunes tiges sans tenir compte de l'effet produit. On conservera parfois quelques branches horizontales, par exemple, pour maintenir la ligne générale de l'arbuste (pour plus de détails sur la taille, voir pages 146 à 149). Chez 'The Countryman', par exemple, les tiges poussent d'abord tout droit avant de se courber. L'arbuste sera beaucoup plus réussi si l'on peut guider les branches vers le sol à l'aide de piquets (voir page 147). On obtiendra alors un large arbuste qui s'étoffera en émettant bon nombre de latérales verticales. 'The Reeve', 'Bibi Maizoon', 'Hero' et quelques autres réagissent fort bien à ce traitement, à appliquer ou non suivant leur emplacement.

Les palmiers donnent un fond pittoresque aux somptueuses fleurs de 'Gertrude Jekyll'. Il est rare que les contrastes de formes ou de feuillages puissent être aussi spectaculaires que celui-ci.

plantes courtes et aérées, arrêtez-vous aux ancolies, *Stachys byzantina (S. Ianata)*, diascias, scabieuses, géraniums vivaces bas, romarin et *Helichrysum italicum (H. angustifolium)*. Les fleurs légères, plumeuses de plantes comme *Alchemilla mollis*, gypsophiles, *Thalictrum speciosissimum* et *Crambe cordifolia* mettent en relief les silhouettes et les fleurs plus lourdes, trapues, des rosiers. Mais souvenez-vous de l'écueil de la concurrence. À l'opposé, on obtient un contraste efficace avec les larges feuilles sculpturales des hostas et bergénias. Une autre solution consiste à soutenir la silhouette des roses avec des fleurs d'aspect semblable, par exemple les pivoines, *Cistus*, ou *Allium giganteum* aux grosses boules de fleurs étoilées.

Les plantes élancées, en épis, émergeant d'une bordure où dominent les roses anglaises font toujours de l'effet. Les lis blancs, et avant tout le beau lis de la Madone (*Lilium candidum*), sont tout à fait à leur place ; les molènes et les digitales, qui se ressèment volontiers et doivent être surveillées, trouvent là leur emploi. Les iris sont très recommandables, surtout s'ils fleurissent avant les rosiers, car ils allongent la saison. Par la suite, leur feuillage effilé donne un joli contraste, pourvu qu'on retire de temps en temps leurs feuilles mortes. Les voisins les mieux adaptés pour nos rosiers restent d'autres rosiers : des exemples d'associations sont offerts (voir page 63).

Personnellement, je trouve que les roses anglaises s'accommodent mieux du voisinage des vivaces que de celui des arbustes, sans pouvoir dire exactement pourquoi. Peut-être parce que les vivaces sont par essence des plantes de jardin, alors que la plupart des arbustes gardent un aspect sauvage : les plus sophistiqués de nos rosiers ayant dès longtemps perdu ce caractère n'ont pas l'air à leur place en leur compagnie. Quoi qu'il en soit, ce sont les plantes herbacées qui ont ma faveur, dans leur entourage. Rappelons que les rosiers remontants ne doivent pas entrer en concurrence avec d'autres plantes.

Une bonne démarche consiste à rechercher des plantes dont la forme contraste avec les formes et les fleurs rondes des rosiers ou, au contraire, l'accentuent. Les roses anglaises font le meilleur effet quand elles ont l'air de jaillir d'une végétation plus basse. Comme

Les plantes en épi et en fuseau s'avèrent de bonnes compagnes pour les rosiers. Ci-dessus, des Crocosmias bordent 'The Pilgrim' ; ci-contre, des delphiniums bleu tendre contrastant avec 'Mary Rose'.

Pour le charme « vieille France » d'un jardin de curé typique, essayez-donc dans une bordure de mélanger des pensées vivaces, œillets, pivoines, œillets de bordure et plantes du même genre avec des roses anglaises. Tout cela fleurira aussi bien avant les rosiers qu'en même temps. Des petits bulbes, comme les perce-neige, crocus, narcisses nains et autres, conviennent à merveille, à cela près qu'ils peuvent ne pas apprécier les traitements appliqués aux rosiers et que leur feuillage jaunit au moment où les roses s'épanouissent. Toutes les combinaisons de plantes, cependant, impliquent une dose de compromis et on trouve toujours un moyen terme possible.

ASSOCIATIONS DE COULEURS

En règle générale, les couleurs qui s'associent bien avec les rosiers anciens conviennent également aux roses anglaises. La meilleure association est obtenue avec des harmonies : le rose avec du mauve pâle et du jaune tendre, le lilas avec le crème et le blanc, etc. Mais les contrastes peuvent pimenter une plantation,

donnent de l'éclat et de la vie et enrichissent les couleurs des roses. Les plantes argentées du type séneçons, santolines et armoises fournissent une excellente toile de fond aux roses de toutes teintes, tout comme les feuilles bleutées de *Ruta graveolens* et des nombreuses formes de lavandes.

Pour moi, le rose est la couleur maîtresse chez les rosiers, tous les autres tons sont de moindre importance. Les tons rose clair ou blanc rosé de nombreuses roses anglaises – 'Gertrude Jekyll', 'Kathryn Morley', 'Heritage' en sont de bons exemples – fourniront la base d'une *mixed-border* typique. Le voisinage de fleurs plus roses, de bleu, de pourpre et de mauve donne l'écrin parfait. Les roses anglaises lilas ou lilacées, tels 'Charles Rennie Mackintosh' et, bien sûr, 'Lilac Rose', peuvent utiliser une palette comparable et servent de lien entre des fleurs dont les teintes, sans elles, se heurteraient. Les bleus sont très bienvenus avec le rose ; retenez *Campanula carpatica*, ou l'un des nombreux géraniums vivaces : *Geranium* 'Johnson's Blue' est un des meilleurs, au bon caractère, solide et à la floraison estivale bleu clair. La lavande est une vieille compagne des rosiers, mais les népètes (*Nepeta* x *faassenii*) sont

Harmonie de couleurs entre le rose tendre de 'Kathryn Morley'
et l'indigo profond de Geranium x magnificum. *Les géraniums vivaces*
sont des voisins très appréciés.

une alternative. Les *Ceanothus* méritent une mention : dans les jardins de climats doux, leur opulent manteau de fleurs forme un fond aux tons doux de nos rosiers.

Les végétaux à feuilles pourpres sont utiles aux roses de coloris roses. Parmi les couvre-sols, on trouve l'*Ajuga reptans* 'Atropurpurea', à fleurs bleues et feuilles acajou, et les violettes à feuillage sombre, essentiellement *Viola labradorica purpurea*. Si l'on souhaite un arbuste élevé, il faut opter pour *Cotinus coggygria*, dont les feuilles translucides, richement colorées, mettront en relief des fleurs roses. Tentez de l'installer à contre-jour. *Cosmos atrosanguineus* vaut qu'on s'y arrête : ses fleurs de velours brun soulignent fort bien la rose, là encore, et le jardinier averti s'amusera à tenter de percevoir leur fugitive odeur de chocolat. À Powis Castle, le *Tellima grandiflora rubra*, aux reflets rouges, accompagne des plantations de rosiers roses 'Chaucer' ; les plantes alentour comprennent l'*Anthemis sancti-johannis* à feuilles grises, le feuillage charnu des bergénias, des *Allium karataviense* et des touffes de fétuque bleue, *Festuca glauca*. Cette plantation montre l'éventail des possibilités.

Il y a infinité de plantes blanches à associer aux rosiers roses – ou de toute autre teinte, en fait. Nous avons déjà vu les lis blancs ; on trouvera d'autres suggestions avec *Astrantia major*, elle-même ombrée de rose, *Campanula persicifolia alba*, parfaite avec des violettes, *Cistus* x *corbariensis*, aux boutons colorés de rose, et les feuilles argentées de *Lamium maculatum* 'Beacon Silver'. Ces plantes fourniront un spectacle agréable une fois passée la première floraison des rosiers.

Les delphiniums, qui comptent parmi les plus belles vivaces et les favorites des *mixed-borders*, s'harmonisent parfaitement avec les doux tons pastels des roses anglaises. Dans leurs teintes traditionnelles de bleu, pourpre et blanc, avec leur haute taille et leurs épis sculpturaux, ils feront un superbe contraste avec des cascades de roses alentour. *Delphinium* x *belladonna* 'Wendy' est un bon choix, tout comme 'Blue Nile', bleu moyen à œil blanc.

Le jaune, chez les rosiers, est difficile à mettre en valeur. Absent chez les rosiers anciens, il est réapparu parmi les rosiers modernes des tons souvent violents et clinquants, en dysharmonie avec les autres couleurs d'une bordure. Les roses anglaises jaunes, cependant, sont plus discrètes et offrent de larges possibilités

Les roses anglaises, même de couleurs contrastées, se mêlent également. Ici, 'English Garden', jaune, et 'Charmian', rose, reflètent les tons du chèvrefeuille.

de mariages heureux de cette gamme avec d'autres plantes. La plupart des jaunes les plus soutenus de la série, tels 'Graham Thomas' et 'Golden Celebration', trouvent place dans une bordure, surtout quand ils se trouvent dans les nuances abricot, pêche, saumon et crème.

Bien des plantes se marient avec les roses anglaises jaunes et abricot, ou pêche. Vous pouvez essayer, par exemple, les *Limnanthes douglasii* au pied d'un rosier comme 'The Pilgrim', aux pétales extérieurs presque blancs. Pour un contraste plus accusé, il existe des masses de plantes à feuilles bronze, tel le fenouil pourpre *Foeniculum vulgare* 'Purpureum', qui se mariera à un rosier comme 'Golden Celebration'. *Crocosmia* x *crocosmiiflora* 'Solfaterre' porte également d'excellentes feuilles bronzées et beaucoup de variétés d'*Hemerocallis* s'imposent par leurs nuances orange ou cuivre. Pour un contraste soutenu, retenez des plantes à fleurs bleues, comme *Salvia* x *superba* aux foisonnants épis bleu-violet, les delphiniums de nouveau, ou un penstemon bleu clair. Côté buissons, mariez aux rosiers jaunes *Elaeagnus pungens* 'Maculata', aux feuilles luisantes éclairées d'une large tache jaune vif, *Lonicera nitida* 'Baggesen's Gold' et *Euonymus fortunei* 'Emerald'n Gold'. On trouve également une foule de formes dorées de houx et de lierres qui s'associeront fort bien à ces coloris.

Les rosiers rouge profond donnent des taches spectaculaires dans le jardin. 'Prospero', d'un beau cramoisi, est le compagnon idéal des roses tendres.

Les fleurs de type Gallica de 'William Shakespeare', rouge foncé, prennent des tons pourprés. Elles offrent un premier plan parfait aux ruines de Sudeley Castle.

Les rosiers rouges cramoisi foncé posent parfois des problèmes et demandent des soins plus attentifs pour leur mise en place. C'est auprès des pourpres et mauves qu'ils conviennent le mieux, et ils font beaucoup d'effet auprès des roses vifs. 'L.D. Braithwaite' et 'The Prince', parmi d'autres roses anglaises rouges et cramoisies, apporteront une note chaude bienvenue dans une bordure : parsemées parmi des plantes aux doux tons roses, elles réveillent une bordure un peu éteinte. 'L.D. Braithwaite' est un des plus décoratifs et, comme 'The Prince', 'The Dark Lady' et plusieurs roses anglaises récentes, ses fleurs évoluent vers un pourpre somptueux, s'associant à la perfection avec d'autres coloris.

Pour accompagner les rosiers rouges, je recommanderai toutes les plantes qui conviennent aux rosiers roses, plus quelques-unes. Les plantes blanches offrent de violents contrastes qui relèvent le rouge très sombre des roses anglaises et les distinguent des fleurs à tons mauves, roses, ou bleus. Les pivoines blanches sont parfaites, de même que les digitales. Les fleurs rose tendre conviennent également et, pour un contraste plus frappant, prenez dans les jaunes : *Alchemilla mollis*, par exemple, *Achillea* 'Moonshine' et *Argyranthemum* 'Jamaica Primrose'. Pour une liane en toile de fond, un chèvrefeuille parmi les plus jaunes ou la vigoureuse *Clematis orientalis* à longue floraison produiront une agréable impression.

Les rosiers blancs ont un vaste éventail de compagnes, dans des coloris contrastés. De façon générale, le blanc est toujours utile pour séparer les couleurs franches qui sans lui, jureraient ou se heurteraient. Un de nos rosiers blancs fera l'affaire. Vous pouvez même créer un jardin ou une bordure tout blancs. Vous aurez le choix parmi quatre variétés blanches de roses anglaises. La plupart des vivaces à fleurs blanches s'y associent volontiers, de même que les arbustes à feuillage argenté. Pour les contrastes, arrêtez-vous à des plantes comme *Penstemon* 'Garnet', d'un rouge profond, et bordez le tout d'une lisière de *Saxifraga* x *urbium* (gazon turc). Le rose saumon de *Geranium endressii* 'Wargrave Pink' n'est guère heureux avec le rose pur des roses anglaises, mais se mêle bien, en revanche, avec le blanc ou le crème. Un tapis de plantes basses, telles les pensées, campanules, népètes et ajugas, donnera également un écrin parfait aux roses blanches.

BORDURES DE ROSIERS

Si vous voulez créer une bordure consacrée aux seuls rosiers, vous aurez le choix entre un mélange de rosiers anciens et de roses anglaises ou une gamme de ces dernières seulement. Le mélange aura l'attrait d'une plus grande variété de fleurs, de végétations et feuillages, les roses anglaises fournissant une floraison régulière tout l'été et un plus grand choix de couleurs. La proportion de chacun des éléments est évidemment affaire de goût. Ma préférence irait à une majorité de roses anglaises, secondées par quelques autres rosiers buissons. Même dans une bordure de rosiers anciens, une pincée de roses anglaises prolongera l'attrait jusqu'en automne. Ne soyons pas trop radicaux dans nos choix : un exemplaire, en feuilles, de 'Roseraie de l'Haÿ', par exemple, ou la masse étalée d'un 'Little White Pet' seront exactement ce qu'il faut pour parfaire le tableau et boucher les trous dans une bordure où domineront, par ailleurs, les roses anglaises. De même, des vivaces rajoutées en lisière assoupliront un tracé un peu rigide.

Les considérations sur l'agencement de la *mixed-border* jouent également ici. Tenez compte du port des roses anglaises pour décider lesquelles occuperont le fond et lesquelles viendront au milieu ou en lisière ; rappelez-vous également qu'une taille judicieuse peut vous aider. De petits massifs d'une même variété, bien placés et se complétant par leurs formes et leurs couleurs, donneront les meilleurs résultats. Pour de grandes

Une belle bordure de roses anglaises, où figure 'Lilian Austin'. Choisir
le port des rosiers en fonction de la place qu'ils occupent donne
les meilleurs résultats.

*Une longue pergola garnie de rosiers grimpants et sarmenteux forme
l'épine dorsale du jardin de notre pépinière. Elle constitue une allée
engageante et parfumée.*

bordures, il faudra peut-être le soutien de quelque chose
de plus élevé que des roses anglaises. Dans ces cas-là,
songez à ajouter quelques grimpants en fond de scène.
Rien de tout cela, j'en conviens, n'est aussi simple qu'il
y paraît. Mais, en prenant le temps de la réflexion et en
retouchant par un rajout éventuel de plantes et de
rosiers, vous arriverez au résultat souhaité.

Pour ceux qui possèdent des jardins un peu plus
grands, deux bordures de rosiers, séparées par une allée,
sont une bonne idée. L'allée peut être un gazon, en
briques, en graviers, en pavés, voire en dalles de béton
et mènera vers un autre coin du jardin, un banc ou un
objet décoratif servant de point de mire. Elle sera droite
ou courbe, cette dernière forme donnant plus de liberté
à l'ensemble. Je connais, personnellement, peu de sensations plus plaisantes que de marcher entre deux rangées
de rosiers anciens et de roses anglaises, qui s'inclinent
jusqu'à l'allée et remplissent l'air de leurs parfums. On
peut voir, comparer et apprécier ainsi les différentes
variétés et cela facilite les soins qu'elles requièrent.

*Deux haies basses, libres, de R. gallica officinalis forment une excellente
lisière à une allée de gazon. Certaines roses anglaises joueront
le même rôle, et refleuriront.*

'English Garden' est un de nos nombreux rosiers bas qui se prêtent
aux massifs. Ils ont l'avantage sur les hybrides de Thé de leurs couleurs
douces et de leurs fleurs à l'ancienne.

MASSIFS DE ROSIERS

Au début du siècle et durant l'entre-deux-guerres, on imagina de nombreuses roseraies en mosaïques de petits massifs de rosiers rangés par taille, mode d'entretien et type de végétation, sans trop de souci d'harmonie. C'est encore de nos jours le modèle le plus répandu. Les rosiers adéquats pour les massifs sont, bien sûr, les hybrides de Thé modernes et les Floribundas, à végétation basse et régulière et à la longue floraison. En général, la végétation plus spontanée, buissonnante, des roses anglaises les désigne mal pour cet emploi, mais il y a quelques variétés basses qui s'y prêtent fort bien. J'évoquerai, par exemple, 'Cottage Rose', 'Glamis Castle', 'St Cecilia', 'The Dark Lady', 'Ambridge Rose', 'Evelyn', 'Charles Rennie Mackintosh', 'Wife of Bath', 'Lilac Rose', 'Tamora', 'Bredon' et 'English Garden'. Certains n'auront pas la floribondité de bons hybrides de Thé et des Floribundas, mais ils vous donneront l'atout de fleurs « à l'ancienne ».

Pour créer une roseraie de petits massifs, vous aurez quelques difficultés en n'utilisant que des roses anglaises, car le choix de variétés disponibles est encore limité. Mais pourquoi ne pas leur adjoindre de sympathiques rosiers, pris parmi d'autres catégories de la gamme, en n'installant si possible qu'une variété par massif ? Parmi les hybrides de Thé, retenez 'Paul Shirville', 'Pristine', 'Sutter's Gold', 'Pascali', 'Polar Star' et 'Mme Butterfly' ; chez les Floribundas aux coloris pastel, vous trouverez 'Margaret Merril', 'English Miss', 'Chanelle', et 'Victoriana'. Il existe également d'excellents Polyanthas nains qui se mêleront fort bien aux roses anglaises.

Dans les parcs et les jardins publics, les hybrides de Moschata et autres rosiers buissons sont souvent employés dans les très grandes plates-bandes pour un effet de masse. Quelques-unes des roses anglaises les plus élevées mais à port compact auront également là leur emploi. Je songe à 'Heritage', 'Abraham Darby', 'Graham Thomas', 'The Pilgrim', 'Mary Rose' et 'Winchester Cathedral'.

Dans le jardin de la reine à Sudeley Castle, dans le Gloucestershire,
des massifs de rosiers anciens sont liserés de sauge, lavande et hysope,
et mêlés de vivaces et d'officinales.

UN JARDIN
DE ROSIERS « ANCIENS »

Avant l'arrivée des roses anglaises, une roseraie à l'ancienne était un objet rare : peu de jardiniers acceptaient de dédier tant d'espace aux rosiers anciens pour une floraison ne durant que quelques semaines, en début d'été. Cependant, avec l'atout d'une floraison plus longue, ce genre de jardin devint envisageable. Avec un mélange de rosiers anciens et de roses anglaises ou de roses anglaises seules s'ouvrent de passionnantes voies nouvelles pour créer une roseraie « ancienne », où les caractéristiques attrayantes de ces rosiers pourront s'épanouir à l'aise.

Le plan d'une telle roseraie peut adopter n'importe quelle forme. Je me permets de suggérer un tracé comportant une série de « pièces », dont les haies, treillis ou palissades formeront les « murs » (voir page ci-contre). Il suffit d'une parcelle carrée ou oblongue, joliment close, avec des allées perpendiculaires et quelques éléments décoratifs pour guider l'œil vers un point de mire au centre. En lisière, les « murs » pourront consister en supports pour des rosiers grimpants, qui fourniront de l'élan au tout. Les rosiers les plus grands, exubérants, impossibles à placer dans des petits massifs, donneront tout leur effet installés en toile de fond, l'ensemble s'abaissant graduellement vers les allées, bordées de variétés naines.

En multipliant les « pièces », découpées par d'étroites allées entrecroisées, il est aisé d'imaginer des ensembles très élaborés. Les jardins clos de ce genre engendrent une atmosphère intime très appropriée aux roses anglaises, en outre, ils retiennent captifs leurs parfums. Les vrais murs sont les mieux adaptés, et deviennent de somptueux tableaux quand des rosiers grimpants et sarmenteux les festonnent. Mais, à moins qu'ils ne soient déjà là, ce n'est guère réalisable. Des haies persistantes, serrées, forment une excellente clôture, leur feuillage sombre fournissant une toile de fond où se détachent les tiges légères et les couleurs douces des rosiers. Assurez-vous que cette haie ne vient pas entraver l'ensoleillement du jardin, une hauteur de 1,80 m est parfaite. Avec les palissades ou treillis, qui offrent également un excellent cadre aux rosiers grimpants, l'ombre sera moins problématique, car ils sont plus ou moins perméables à la lumière.

UNE ROSERAIE DE ROSES ANGLAISES

Ce tracé simple montre comment associer harmonieusement les nombreuses variétés de roses anglaises, mêlées à des grimpants et sarmenteux, pour la hauteur.

Les roses anglaises sont plantées par groupes de trois à cinq. Les rosiers bas du centre sont regroupés par huit et taillés comme des rosiers à massifs.

1. 'Chianti'
2. 'Heritage'
3. 'The Prince'
4. 'Lucetta'
5. 'Financial Times'
6. 'Kathryn Morley'
7. 'Evelyn'
8. 'Francine Austin'
9. 'The Nun'
10. 'Golden Celebration'
11. 'Constance Spry'
12. 'Lilian Austin'
13. 'Jayne Austin'
14. 'Abraham Darby'
15. 'Sharifa Asma'
16. 'Tamora'
17. 'Sweet Juliet'
18. 'The Herbalist'
19. 'Charles Rennie Mackintosh'
20. 'L.D. Braithwaite'
21. 'Lilac Rose'
22. 'Brother Cadfael'
23. 'Cymbeline'
24. 'The Dark Lady'
25. 'English Elegance'
26. 'Chianti'
27. 'The Pilgrim'
28. 'Bredon'
29. 'The Countryman'
30. 'Redouté'
31. 'Gertrude Jekyll'
32. 'Country Living'
33. 'Ambridge Rose'
34. 'Constance Spry'
35. 'Mary Rose'
36. 'Perdita'
37. 'Wife of Bath'
38. 'Glamis Castle'
39. 'Tamora'
40. 'St Cecilia'
41. 'Fair Bianca'
42. 'Princesse Louise'
43. 'Guinée'
44. 'Cupid'
45. 'New Dawn'
46. 'Blush Noisette'
47. 'Paul's Himalayan Musk'
48. 'Gloire de Dijon'
49. 'Pink Perpétue'
50. 'Lady Sylvia, Climbing'
51. 'Etoile de Hollande, Climbing'
52. 'Félicité Perpétue'
53. 'Aimée Vibert'
54. 'New Dawn'
55. 'Mme Alfred Carrière'
56. 'Francis E. Lester'
57. 'Lady Hillingdon, Climbing'
58. 'Pink Perpétue'
59. 'Sombreuil'
60. 'Souvenir de Claudius Denoyel'

Certaines situations ne conviendront pas aux rosiers à grosses fleurs : les pétales extrêmement délicats de 'Windrush', au premier plan, mêlés à Oenothera speciosa 'Rosea', illustrent le charme des fleurs simples et demi-doubles.

Comme point de départ ce simple plan a l'avantage de pouvoir s'étendre à l'infini. Une fois installés les premiers massifs et plates-bandes bordés de haies ou de treillages, vous pouvez imaginer une série de jardins de ce genre, chacun donnant dans l'autre, comme les pièces d'un appartement. Ces jardins de roses n'ont pas besoin d'être gigantesques et même les étroites parcelles caractéristiques des terrains de ville ou de banlieue peuvent être métamorphosées. Il suffit de les couper en deux ou trois « pièces » de styles différents. On peut n'y mettre que des roses anglaises, mais aussi des rosiers anciens, avec, peut-être, une touche de quelques autres plantes pour habiller l'ensemble. Bien entendu, ce plan conviendra également à un jardin classique plus grand. L'emplacement dicte généralement sa forme et plus il est complexe, plus le jardin est intéressant.

Dans les très grands terrains, ou les parcs, le tracé peut suivre des figures plus élaborées. On y installera de longs couloirs, liserés d'étroites plates-bandes fermées de haies et guidant le regard en points de vue successifs jusqu'à un point de mire ; des sentiers placés latéralement mèneront dans différentes « pièces ». Ce n'est pas là une nouveauté – on peut voir de beaux exemples à Hidcote Manor, dans le Gloucestershire, et à Sissinghurst Castle, dans le Kent. Dans les jardins de notre pépinière, nous avons conçu un système de ce genre, chaque pièce étant close de cyprès de Leyland

(l'if est préférable, mais nous avions besoin de résultats rapides). Les rosiers grimpants sont présents partout : sur des fils tendus entre des poteaux, en fond de plate-bande, sur des arceaux, sur des piliers de briques reliés par des perches, et sur une longue pergola conduisant à l'extérieur. De courtes bordures de buis et, par places, d'if, servent d'ourlets. L'atmosphère intime qu'offre cette conception est la meilleure, à mes yeux, pour apprécier les rosiers anciens et les roses anglaises. On peut admirer pleinement des roses dans toute leur magnificence, en étant gratifié de nouvelles surprises par les différents paysages et points de vue à chaque coin d'allée.

ROSIERS GRIMPANTS ET ROSIERS TIGES

Qu'il s'agisse de plates-bandes de roses anglaises ou de rosiers anciens, la dimension manquante est souvent la hauteur. Les solutions ne manquent pas, aussi nombreuses que variées. On y remédie en plantant des rosiers grimpants et sarmenteux soit comme toile de fond des bordures, soit pour encadrer le jardin. À l'exception de 'Constance Spry', 'Shropshire Lass' et 'Francine Austin' (qu'on peut obliger à grimper, avec un support adapté ; voir, par exemple, page 69) les roses anglaises ne sont pas douées pour l'escalade. Il faut donc se mettre en quête d'une idée. Fort heureusement, de nombreux grimpants et presque tous les sarmenteux grâce à leur port souple par nature s'y marient fort bien, ces derniers surtout, si proches des rosiers anciens.

Les supports pour ces lianes sont très variés : murs (qui offrent un abri aux variétés frileuses et permettent l'allongement de la durée de végétation), treillages, arceaux, pergolas ou simples poteaux de bois complétés d'un échalas (assurez-vous que le bois a été traité à cœur contre la pourriture). Les moins envahissants des sarmenteux peuvent être conduits avec profit, à l'occasion, sur une haie ; d'autres seront encouragés à grimper dans les branches d'un arbre ou habilleront une vieille

Le jardin rond de notre pépinière (à droite) est une vraie roseraie de roses anglaises. On trouve au premier plan 'Charles Rennie Mackintosh', 'Shropshire Lass' à droite, 'Francine Austin' à l'arrière.

souche. De nombreuses variétés de rosiers prennent beaucoup de charme, conduits dans des « corsets » métalliques prévus à cet effet. Il s'agit de quatre simples tiges de fer reliées par des agrafes métalliques soudées ou attachées, et formées en volutes au sommet. Ces « corsets » parviennent à donner de l'élan même aux rosiers les plus désespérément courts.

Les rosiers tiges sont également précieux pour donner de la hauteur. Le style de ces rosiers ne convient pas à un jardin libre ; ils prennent place dans un tracé rigoureux. Dans une large bordure de roses anglaises, par exemple, ils aident à rompre l'uniformité et à créer du mouvement. Ils donnent également du pittoresque à une roseraie et ont grande allure alignés de chaque côté d'une allée ou comme pièce centrale de parterres à la française. Les roses anglaises ne manquent pas, que leur port largement touffu prédispose à cet emploi : de bons exemples sont fournis par 'Golden Celebration', 'Bibi Maizoon', 'Mary Rose', 'L.D. Braithwaite', 'Redouté', 'The Dark Lady' et 'Glamis Castle'. L'important, pour les rosiers tiges, est qu'ils possèdent de hauts troncs, bien visibles, qui leur donnent une silhouette d'arbres. Mêlez-les à des variétés courtes, qui ne noient pas leur forme et dont ils perceront la nappe de fleurs.

Les rosiers pleureurs ne manquent pas leur effet et nombre de variétés s'y prêtent. Ce beau sujet de 'May Queen' accompagne R. gallica 'Versicolor' (Rosa Mundi, à gauche) et 'Charles de Mills'.

*Les formes souples des rosiers gagnent souvent à la compagnie d'un point
de mire bien placé. Le cadran solaire en est un classique, mêlé ici
à 'Ferdinand Pichard', panaché, à gauche
et à 'English Garden' à droite.*

ORNEMENTS DE JARDIN

Les objets décoratifs, dans une roseraie formelle, ont le pouvoir de transformer le dessin le plus banal en lui donnant de l'allure. Un rosier planté dans une large vasque en terre cuite, posée sur un piédestal, retiendra le regard, encore qu'une sculpture me semble plus appropriée. Comme pièce centrale ou à l'extrémité d'un point de vue, par exemple, une sculpture fait beaucoup d'effet. Les possibilités sont infinies et il n'est pas nécessaire de dépenser des fortunes. On trouve sur le marché d'excellentes reproductions et une multitude d'objets, une simple trouvaille « chinée » quelque part, peut apporter du relief au jardin. Si l'achat envisagé est coûteux, il est sage de faire des essais de volume à l'avance ; faites-vous une idée de ce qu'une statue donnera, par exemple, en plaçant temporairement un objet de même importance. Un banc, un siège de jardin se révéleront à la fois décoratifs et utiles. Autres possibilités : un cadran solaire, une fontaine, un petit bassin circulaire. Une ou deux roses anglaises à port étalé, souple, tels 'Lilian Austin' ou 'Bibi Maizoon', plantées à proximité, se mireront dans l'eau et vos yeux pourront jouer de leurs reflets.

ROSIERS EN POTS

Ceux qui ne disposent que d'un petit jardin, ou qui n'en ayant pas du tout ont seulement un coin dallé ou un balcon, peuvent se rassurer : les roses anglaises se comportent fort bien en pot. Toutes les lois d'une culture bien menée s'appliquent ici mais de façon peut-être plus aiguë car ces arbustes seront alors à votre merci. L'arrosage et les engrais, dispensés régulièrement, deviennent vitaux (voir pages 150-151).

*Ce jardin campagnard où figure 'Heritage' est rendu plus spectaculaire
par les grosses feuilles rugueuses d'Inula magnifica (à gauche)
et les épis de Campanula latiloba.*

Les variétés de roses anglaises qui suivent, courtes ou moyennes, font partie des meilleures (quelques-unes des variétés plus vigoureuses peuvent être amenées à grimper sur un support) : 'Heritage', 'Sharifa Asma', 'Brother Cadfael', 'Cottage Rose', 'The Countryman', 'The Prince', 'The Dark Lady', 'Golden Celebration', 'Evelyn', 'English Garden' et 'St Swithun'. Les contenants des rosiers peuvent être de toutes natures – pots, vasques, cuves – et ont l'avantage de la mobilité. Le tout est qu'ils soient parfaitement drainés. Ils orneront un petit jardin, seuls ou par paires, par exemple de chaque côté d'un perron. Ils s'emploient également comme points de mire dans les grandes roseraies, placés au centre ou aux extrémités.

Le renouveau des serres, sous-employées, hélas ! à des fins horticoles, offre la possibilité à chacun d'obtenir des roses forcées. Là encore, nourriture et engrais jouent un rôle primordial. Mais si vous n'épargnez rien en la matière, je vous promets des roses anglaises de toute beauté. Dans les beaux jours des serres de château, à la fin du XIXe siècle, les rosiers étaient régulièrement cultivés à contre-saison, sous verre, pour fournir les bouquets. De nos jours, la splendeur des rosiers que l'on voit chaque année au Chelsea Flower Show est due en partie au fait qu'on les cultive sous abri. Sans cela, il serait impossible, en Grande-Bretagne, d'avoir des rosiers en fleurs fin mai. Tous les privilégiés qui disposent d'une serre obtiendront des résultats aussi spectaculaires avec des rosiers en pots, placés ensuite au jardin ou comme décor dans la maison. L'amateur sera alors récompensé par des fleurs de remarquable qualité, à regarder de près.

AUTRES EMPLOIS AU JARDIN DES ROSES ANGLAISES

Si vous avez de la place, vous pourrez vous permettre de cultiver des roses anglaises rien que pour leurs fleurs, sans tenir compte de leur rôle de plante de jardin. Ce peut être pour les concours ou les bouquets. Plantez-les alors en rangs, dans une plate-bande réservée, ou au potager afin de pouvoir les couper libéralement sans former des « trous » disgracieux. Avec des soins appropriés et de bonnes doses d'engrais, elles produiront à coup sûr des fleurs magnifiques.

Comme les autres rosiers buissons, les roses anglaises acceptent également d'être isolées sur une pelouse, sur la bordure engazonnée d'une allée carrossable, ou dans toute autre situation similaire. Retenez les variétés les plus vigoureuses, plantées serré par groupes : 'Heritage', 'Mary Rose', 'Abraham Darby', 'Graham Thomas', 'Winchester Cathedral' et 'English Elegance' sont tout désignés. Des rosiers comme ceux-là peuvent être cernés, comme les bosquets d'un parc, d'une clôture basse, de 1 m de haut environ (voir page 147). Comme ils poussent en émettant de longues branches, on attache celles-ci à la clôture et elles servent de charpentières à des latérales, jusqu'à la formation d'un dôme

L'association des rosiers et de l'eau est inhabituelle mais très belle.
'Lucetta', rose pâle, figure ici, en compagnie d'autres roses anglaises,
le long d'un vaste plan d'eau calme.

généreux. Cette méthode a porté ses fruits à Castle Howard, dans le Yorkshire, avec les non remontants 'Constance Spry' et 'Chianti'. D'autres variétés, telles que 'Shropshire Lass', 'Leander', 'Abraham Darby' et 'English Elegance' s'y prêteront volontiers. Si ces bos-

Comme plusieurs roses anglaises, 'Shropshire Lass' peut être traité
en grimpant sur un support où sont mises en valeur
ses larges fleurs simples.

quets prennent place sur l'herbe, veillez à ce que celle-ci n'envahisse pas le pied des rosiers. Un désherbage régulier, les premières années surtout, est essentiel, de même qu'un dressage de bordures de gazon. Une fois de plus, des engrais abondants assureront au rosier la pousse vigoureuse que demande une position aussi stratégique.

J'espère avoir fourni au lecteur dans ce chapitre, quelques suggestions pour l'emploi des roses anglaises ; l'inspiration viendra également en voyant quelle utilisation on en fait dans quelques grands jardins de Grande-Bretagne et d'ailleurs. Tous ceux qui ont remarqué, par exemple, les bordures basses de *R. gallica officinalis* ourlant deux plates-bandes à Kiftsgate Court, dans le Gloucestershire (voir page 60) peuvent imaginer sans peine une adaptation avec 'Glamis Castle', 'The Herbalist', voire 'The Dark Lady'. Il n'est malheureusement pas envisageable d'évoquer tous les usages possibles, chaque jardin offrant des solutions particulières.

LES ROSES ANGLAISES DANS LA MAISON

Rien de plus agréable que la vue – et le capiteux parfum – d'un vase de roses
fraîchement cueillies. Quel que soit le talent d'une bouquetière, les sens
seront ravis, d'autant que les roses s'unissent à merveille avec
quantité de plantes classiques employées dans le domaine
de l'art de la fleur coupée.

LES ROSES ANGLAISES font partie des meilleurs éléments pour les bouquets décorant la maison, non seulement à cause de leur gamme de parfums, mais aussi en raison de leur beauté rustique, aussi élégante à l'intérieur qu'au jardin. Les hybrides de Thé, souvent choisi comme fleurs coupées idéales, ont l'inconvénient de durer peu. Une fois le bouton complètement ouvert, sa forme se désagrège et les fleurs, clairsemées, ont alors moins d'attrait. Le charme des roses anglaises, à l'opposé, ayant un bouton épanoui, la fleur garde toute sa beauté, même quand les pétales extérieurs, peu visibles, ont commencé à faner. Des essais menés aux États-Unis ont démontré que les fleurs des roses anglaises durent généralement plus longtemps que celles des rosiers modernes. Quant aux roses anciennes, bien qu'elles soient également admirables et durent plus, en vase, que nombre d'hybrides modernes, leurs pétales, moins solides que ceux des roses anglaises, fanent plus vite.

Les bouquets conformes au port naturel des roses sont les meilleurs.
Ici, les inflorescences globuleuses de 'Bibi Maizoon' s'inclinent
d'elles-mêmes au-dessus d'un beau vase vert sombre.

Quels que soient les rosiers, la première chose à faire est de récolter les fleurs dans de bonnes conditions ; un peu d'attention dans les soins à ce moment-là leur assurera une plus longue durée dans l'eau. Autant que possible, évitez de cueillir en pleine chaleur, quand les fleurs ont évaporé une part de leur humidité, car, une fois coupées, elles ne vivraient plus guère.

Les roses anglaises sont au sommet de leur beauté quand leurs fleurs sont pleinement épanouies. Ne les cueillez pas en boutons, sinon, elles ne s'ouvriront pas entièrement et vous n'aurez jamais de belles fleurs. Le bon moment, c'est quand elles sont à demi-ouvertes. Elles déploieront alors leurs pétales en une rose parfaite.

Au fur et à mesure de la récolte, plongez aussitôt vos roses jusqu'en haut de la tige dans un seau d'eau. Je dis bien « aussitôt ». Les essais menés par les professionnels de la fleur coupée ont démontré que même après quelques secondes au sec, la coupe commence à se cicatriser et la tige absorbe moins bien l'eau. En fait, pour éviter toute cicatrisation, l'idéal est de recouper la base de la tige dans l'eau après la cueillette. Si l'on peut laisser les plantes tremper quelques heures, voire toute

Dès la cueillette, placez vos roses dans un seau d'eau pour qu'elles durent longtemps ; les compositions les plus accidentelles sont déjà charmantes.

une nuit, c'est encore mieux. Choisissez des roses aux tiges épaisses et droites plutôt que fines et contournées. Elles seront mieux à même d'absorber – et de retenir – l'eau. Prenez des tiges courtes, pour que l'eau atteigne plus vite les fleurs, à moins que le style de votre bouquet n'exige des tiges longues !

LE STYLE NATUREL

En choisissant les roses, souvenez-vous de l'emplacement que vous donnerez à votre vase et cueillez en conséquence. Les compositions raides, guindées, qu'aimaient encore récemment les fleuristes, ne sauraient convenir aux roses anglaises et iraient à l'encontre de leur style. Le mieux à faire est de laisser les fleurs dicter la taille et la forme du bouquet : prenez votre récolte de roses et laissez-la s'installer d'elle-même dans le récipient. Après avoir vu le résultat sur plusieurs côtés, retouchez la position de quelques fleurs jusqu'à obtenir un ensemble harmonieux. Autant que possible, laissez toujours les fleurs prendre leur place naturelle, plutôt que de tenter de les plier à un carcan

préétabli. Les roses ont la vilaine habitude de tourner la tête : vous leur donnez soigneusement une direction et elles se tournent aussitôt de l'autre côté. Vous aurez peut-être besoin de retirer quelques fleurs pour en ajouter ailleurs ; servez-vous de la masse du bouquet pour parvenir à les caler. Avec un œil critique posé sur les roses ajoutées, vous verrez que leur place apparaît évidente : chaque tige a son propre angle. Complétez chaque fleur par son pendant, sur l'autre face du vase, par exemple.

COULEUR ET FORME

Si c'est la forme des fleurs qui dicte pour une grande part l'allure à donner au bouquet, le choix des coloris revient à la bouquetière. Les hybrides de Thé et les Floribundas, aux couleurs plus dures, métalliques, doivent être utilisés avec doigté pour éviter un effet criard. Les roses anglaises, aux tons beaucoup plus délicats, se mêlent en général plus harmonieusement. Il devient possible de rapprocher les jolies nuances roses aux jaunes tendres – ce qui est plus délicat, en revanche, avec d'autres fleurs, en particulier celles des rosiers modernes. Toutefois, les cramoisis chaleureux de variétés, telles que 'L.D. Braithwaite', doivent être employés avec parcimonie pour ne pas qu'ils écrasent les autres couleurs. Certaines nuances permettent de pratiquer des rapprochements inattendus de couleurs. Par exemple, les tons lilacés de 'Charles Rennie Mackintosh' et 'Lilac Rose', le pourpre soutenu de 'The Prince' et les tons argentés de 'Cymbeline' sont tous à même de donner relief et harmonie à un éventail de couleurs voisines.

Pour éviter d'avoir un bouquet cahotique ou lourd d'aspect, l'idéal est de mêler diverses couleurs et formes. Les fleurs moyennes ou grosses des roses anglaises se marieront heureusement avec les formes en bouquets légers. Les corymbes légers, délicats, de 'Francine Austin', par exemple, sont juste ce que demandent comme « bouche-trou » les fleurs plus consistantes des autres variétés. Nombre de rosiers couvre-sols auront le

Les nuages dressés de 'Francine Austin', aux petites fleurs blanches, répondent élégamment à des fleurs plus lourdes, dans une gamme de rose et cramoisi sombre.

même emploi, de même que les gracieux sarmenteux. N'en abusez pas cependant – mieux vaut retenir, dans l'ensemble, les tons les plus clairs et les fleurs les plus légères. Le rosier buisson moderne 'Bloomfield Abundance' est particulièrement adapté à cet emploi. Ses longs bouquets pointus de jolies roses Thé en miniature peuvent être placés pour émerger d'une touffe de roses anglaises.

Mélanger des roses anglaises avec des hybrides de Thé et des Floribundas n'est jamais très heureux. Ce mariage est grinçant, à l'intérieur comme au jardin. Les boutons « turbinés » des rosiers modernes et leurs couleurs souvent fortes deviennent discordants aux côtés des lignes et des couleurs douces des roses anglaises. En revanche, les rosiers anciens et les sarmenteux sont les bienvenus dans les bouquets chaque fois qu'on peut en disposer.

LE CHOIX D'UN VASE

Pour que les roses durent fort longtemps dans un bouquet, leurs tiges doivent tremper le plus possible dans l'eau. C'est pourquoi, les récipients profonds –

petits ou grands, renflés ou droits – sont bien préférables aux vases bas. Utilisez des chopes, de vieilles théières, des seaux et tout ce qui vous passe par la tête. Songez même à vous procurer ces objets quand vous les voyez passer, la seule réserve étant qu'ils restent discrets, de forme et de couleurs, pour ne pas nuire aux fleurs.

Les vases de verre valorisent bien les roses, en particulier placés à contre-jour pour dessiner les tiges épineuses par transparence. Inutile de se limiter à un seul vase à la fois : groupés, ils font beaucoup d'effet – une grande coupe et deux petites à proximité, ou un mélange de chopes, tasses et coupes.

Quelques-unes des variétés les plus petites gagneront à garnir des coupes qui mettront en relief le charme de leurs fleurs, assemblées ou non à d'autres plantes sympathiques. Pour les fleurs solitaires, un vase soliflore est idéal, par exemple pour telle fleur choisie au jardin sur le chemin du retour. Comme obtenteur, j'ai remarqué qu'une fleur toute seule est le meilleur moyen de juger de près une variété prometteuse. Et pour les nostalgiques du passé, il reste la possibilité de porter à la boutonnière des fleurs de 'The Prince', 'Fair Bianca', 'Bow Bells' ou 'Heritage'.

Cette somptueuse composition de roses anglaises dans les plus riches tons de rouge et de cramoisi souligne l'élégance des vases classiques, en verre lisse.

Les récipients inattendus ont leur charme. C'est ici une théière chargée des coupes de 'Bow Bells', d'épis de lavande, d'une touche de pommes vertes et de petites pensées.

*Les roses à tiges très courtes gagnent à la mise en coupes basses
où elles flottent comme des nymphéas. Reliés par un pampre
de chèvrefeuille, les vases prennent encore plus de charme.*

LES FEUILLAGES

Les feuillages constituent une part non négligeable des bouquets de roses. Que vous utilisiez ceux des rosiers eux-mêmes ou ceux d'autres plantes, ils fourniront un excellent écrin sur lequel les fleurs se détacheront parfaitement. Soyez néanmoins attentif à retenir ces compagnons non seulement pour leur beauté, mais également pour leur longue tenue en vase. Certains, pourtant fort beaux, jaunissent en effet très vite et gâtent tout un bouquet. Quelques bouquetières vont même jusqu'à cultiver certains rosiers rien que pour leur feuillage.

Les espèces botaniques jouent là un rôle utile, les feuilles gracieuses et légères de quelques-unes s'avérant plus efficaces comme garniture que des feuillages épais. *R. glauca* (anciennement *R. rubrifolia*) est sans doute la meilleure : ses tiges pourprées et ses feuilles épineuses, cuivre et mauve, offrent à la bouquetière la possibilité d'un contraste inappréciable. D'autres, telles *R. virginiana*, à la verdure légère, *R. willmottiae*, au feuillage léger et plumeux, et *R. villosa*, aux feuilles grises, valent d'être retenues. Les plantes argentées, telles les santolines, séneçons, armoises et lavandes, accompagnent également les roses anglaises avec bonheur. Quant au brouillard vert chartreuse d'*Alchemilla mollis* dont les fleurs, en raison de leur couleur, s'apparentent aux feuillages pour le rôle à jouer, c'est un compagnon parfait pour les roses, quel que soit le bouquet que l'on compose.

LES ROSES ANGLAISES
ET
LES AUTRES FLEURS

Tout comme au jardin, les roses anglaises se marient fort bien avec d'autres fleurs, pourvu que les couleurs et matières soient bien choisies. Dans l'ensemble, comme précédemment, les coloris ne doivent pas être trop durs pour se marier à la douceur des roses anglaises et non les éteindre. Quelques associations sont particulièrement efficaces. Nombre de fleurs bleues, par exemple *Nepeta, Geranium* 'Johnson's Blue' et campanules *(Campanula)* sont des associées parfaites pour les roses tendres, cramoisis et mauves. En somme, d'autres fleurs sont à retenir comme les pivoines, delphiniums et iris. Les nombreuses variétés abricot et jaunes de nos rosiers se marient bien avec les fleurs blanches des *Philadelphus* et *Viburnum,* voire avec les pourpres soutenus de diverses espèces de *Salvia* et *Hebe.* Les petites fleurs en « marguerite » comme les *Erigeron* ou les asters sont également bienvenues ; en fin de saison, recourez aux bruyères *(Erica)* et aux marguerites d'automne.

Il existe une quantité à peu près infinie de combinaisons possibles dans une composition florale en jouant sur les couleurs, nuances, matières, tailles. Le tout est de les faire correspondre aux qualités esthétiques propres aux roses anglaises. Ces quelques suggestions ne sont là que comme indications. Je suis convaincu qu'aucun amateur véritable de fleurs ne manquera d'inspiration en faisant un tour de jardin.

À gauche, un pot de porcelaine bleue et blanche a reçu une merveilleuse masse de delphiniums, de lis et de roses – dont 'The Alexandra Rose' et 'Sharifa Asma' – avec des nuages de rosiers sarmenteux pour donner de l'ampleur. Ci-dessus, une composition en jaune et vert accueille des Achillea, au feuillage plumeux.

LES VARIÉTÉS DE ROSES ANGLAISES

Il existe maintenant plus de quatre-vingts variétés de roses anglaises.
Elles représentent la somme de trente années de patiente sélection. Les portraits
détaillés qui suivent, outre la couleur, indiquent la taille, la forme et le parfum
de chaque variété, pour pouvoir choisir un rosier à bon escient,
pour un grand comme pour un petit jardin.

DANS les portraits de ce chapitre, j'ai pris la peine de donner une description détaillée de chaque rosier. Il faut se rappeler que les photographies ne représentent la plante qu'au moment de la prise de vue. Quand la fleur se déploie, elle change sans cesse de forme et de couleur. S'il doit y avoir quelques différences entre la photographie et le rosier de votre jardin, j'espère que mes notes rétabliront l'équilibre.

Tout en fournissant un guide des qualités esthétiques des roses anglaises, j'ai apporté des données pratiques de santé, vigueur, aspect de la végétation et du feuillage. J'ai tenté d'être aussi honnête que possible quant aux qualités et défauts de mes rosiers. Au fil du temps, nous avons fait des progrès et il est inévitable que quelques variétés recueillent plus de points que d'autres, à certains niveaux. Quelques-unes des variétés les plus anciennes ont disparu de nos catalogues, surpassées par des nouvelles venues supérieures. Si l'un des rosiers est ici répertorié comme présentant une faiblesse – par exemple « sensibilité légère à l'oïdium – ce n'est pas une raison pour l'écarter. À ce régime nous ne cultiverions aucun rosier. Il faut plutôt prendre cette remarque comme une mise en garde, pour un jardin où l'oïdium est fréquent. Pour le reste, il peut s'agir d'une plante parfaite. De même, quelques rosiers aux fleurs merveilleuses s'avéreront peut-être de vigueur modeste.

Deux roses anglaises aux caractéristiques bien différentes :
'L.D. Braithwaite' (ci-contre) dans un bouquet de fin d'été
et 'Cymbeline' (ci-dessus) aux fleurs rose argenté.

'The Squire', par exemple, produit des fleurs parmi les plus belles que je connaisse ; mais sa végétation est réduite. Nombre d'amateurs n'en auront cure et se satisferont d'obtenir des fleurs aussi parfaites.

Quelles que soient leurs caractéristiques individuelles, toutes les roses anglaises sont belles et beaucoup d'entre elles forment de gracieux arbustes fleurissant plus longtemps que nombre d'autres végétaux. En faisant votre choix, tentez de penser à la place qu'occupera le rosier. Tenez compte non seulement de la couleur des fleurs, mais aussi du port, du feuillage et des soins particuliers. Pour vous simplifier le travail et pour plus de clarté, je donne quelques notes sur ces aspects.

COMPORTEMENT GÉNÉRAL

Chaque variété est notée, suivant mon opinion sur ses qualités d'ensemble, soit :

*** EXCELLENT

** SATISFAISANT

* UN PEU FAIBLE

Il ne s'agit pas là d'une opinion tranchée, mais d'un avis général. Je ne donne parfois qu'une ou deux étoiles à un rosier qui, à mes yeux, n'a pas toutes les qualités que j'attends d'une rose anglaise, même s'il est très bon. Les variétés « mal notées » peuvent avoir des qualités utiles pour un usage donné, ou correspondre à des goûts déterminés.

PARFUM

Quelques éclaircissements sur le sujet peuvent servir. J'ai appliqué une notation comparable :

*** EXCELLENT

** SATISFAISANT

* UN PEU FAIBLE

Comme je l'ai dit précédemment (voir page 44) le parfum est insaisissable chez les rosiers et varie grandement suivant la température, l'heure du jour et autres

contingences. Mon échelle fonctionne dans des conditions favorables.

FORME ET TAILLE

En plantant, il est bon de connaître à peu près la taille atteinte par une variété donnée. Sous chaque rosier un schéma simple illustre la forme et le port généraux de la plante. Les rosiers sont divisés en quatre types : buissonnant, étalé, souple ou érigé, chacun avec son schéma. Celui-ci ne donne pas les proportions exactes de la plante. Les mesures sont données latéralement, mais restent imprécises, la taille définitive d'un rosier dépendant du sol et du climat où il pousse. J'ai pris note qu'en climats chauds, tels le sud de l'Europe et des États-Unis et certains pays de l'hémisphère Sud, les roses anglaises deviennent plus grandes qu'ailleurs.

QUANTITÉ RECOMMANDÉE

Partout où la place le permet, je crois de première importance (voir pages 50-51 et 146-147) la plantation en groupes des roses anglaises. On obtient ainsi un effet très supérieur qui justifie la dépense. Les quantités proposées ne sont qu'indicatives – il n'y a pas, en fait, de limite théorique au nombre de rosiers dans un groupe. Mes notes vaudront là où il y a de l'espace. Cependant, des sujets isolés donneront un excellent effet.

LIGNÉE

La « lignée » est le groupe des roses anglaises auquel appartient la variété (voir pages 30-31).

PARENTS

Dans les données sur la parenté, la plante mère vient en premier, la plante père en second. Pour 'Cottage Rose', par exemple, on trouve 'Wife of Bath' (plante mère) x 'Mary Rose' (plante père). Parfois apparaît le mot « semis ». Ceci signifie simplement que nous avons pris un semis non dénommé de notre série de croisements pour nous en servir comme parent. Un « sport » est une mutation du capital génétique d'une plante, engendrant une variété. Un exemple est fourni par 'Winchester Cathedral', blanc, sport de 'Mary Rose', rose. Il est pareil en tous points, sauf la couleur.

Dans les données sur un rosier, on trouve une classification pour tous les rosiers qui ne sont pas des roses anglaises ; HT (hybrides de Thé) 'Monique', par exemple. Faute de classification, il s'agit de roses anglaises.

APPELLATION

L'appellation est un nom de code international, par exemple : 'Abraham Darby' (Auscot). Elle n'est en fait jamais employée commercialement ou par les jardiniers, mais doit figurer, aux termes de la loi, aux côtés des roses dénommées et protégées. Ce système permet de reconnaître un rosier sous des noms communs différents. Il n'est pas obligatoire de protéger les rosiers, cependant, et, souvent, aucune appellation ne figure.

'Gertrude Jekyll' est une excellente rose anglaise, proche des Portland.
Ses somptueuses fleurs rose clair dégagent un violent parfum
de « vieille rose ».

Abraham Darby (à gauche)

Cette variété est unique chez les roses anglaises, car elle a des rosiers modernes parmi ses parents. C'est le croisement du grimpant moderne 'Aloha' et d'un Floribunda jaune dont les parents portent des fleurs de type «ancien» caractéristique. Les fleurs d'ABRAHAM DARBY sont également de forme ancienne typique, légèrement teintées cependant de l'empreinte des rosiers modernes. Les jolies fleurs en coupe sont abricot cuivré, avec les pétales extérieurs plus rosés. Le parfum est très puissant.

ABRAHAM DARBY forme un buisson très arrondi, dense, couvert de fleurs en pleine saison ; le feuillage abondant est luisant. Pour un rosier aux si grosses fleurs, il remonte avec une régularité remarquable. Très vigoureux et sain, il peut se révéler parfois sensible à la rouille. En raison de sa taille et de sa couleur, la rose est parfaite au centre d'un bouquet. Il a été nommé ainsi en mémoire d'un des grands initiateurs de la révolution industrielle, au profit du Ironbridge Gorge Museum Trust.

AMBRIDGE ROSE

COMPORTEMENT GÉNÉRAL***	PARFUM***
LIGNÉE 'ALOHA'	PARENTS FLORIBUNDA 'YELLOW CUSHION' x GRIMPANT MODERNE 'ALOHA'
APPELLATION AUSCOT	DATE D'INTRODUCTION 1985

Abraham Darby
— 120 cm —

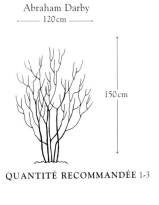

150 cm

QUANTITÉ RECOMMANDÉE 1-3

Ambridge Rose
— 60 cm —

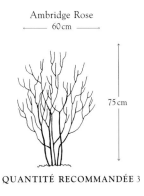

75 cm

QUANTITÉ RECOMMANDÉE 3

Ambridge Rose (ci-dessus)

C'est un rosier court, touffu, à végétation assez basse. Il se montre très utile dans les petits jardins, en lisière de grandes bordures, ou comme plante à massifs. Les fleurs, de taille moyenne, sont abricot, s'estompant en rose pâle sur les bords ; au début, elles forment une coupe nette, puis s'ouvrent en une ravissante rosette. Nommé à la demande de la BBC d'après un feuilleton-radio célèbre «The Archers», AMBRIDGE ROSE est un buisson solide, florifère et exempt de maladies.

COMPORTEMENT GÉNÉRAL**	PARFUM***
LIGNÉE 'WIFE OF BATH'	PARENTS 'CHARLES AUSTIN' x SEMIS (PROBABLEMENT DE 'WIFE OF BATH')
APPELLATION AUSWONDER	DATE D'INTRODUCTION 1990

Belle Story

Cet intéressant et joli rosier apporte une forme inhabituelle parmi les roses anglaises. Les pétales bien détachés sont recourbés à l'extérieur à la façon de certaines pivoines. La fleur est très ronde, avec des étamines centrales jaunes, bien visibles. La couleur est un rose délicat, légèrement plus clair au bord. BELLE STORY tire son nom d'une des trois premières infirmières ayant servi dans la Royal Navy en 1884. C'est un arbuste vigoureux et sans souci.

COMPORTEMENT GÉNÉRAL **	PARFUM **
LIGNÉE —	PARENTS ('CHAUCER' x GRIMPANT MODERNE 'PARADE') x ('THE PRIORESS' x FLORIBUNDA 'ICEBERG')
APPELLATION AUSELLE	DATE D'INTRODUCTION 1984

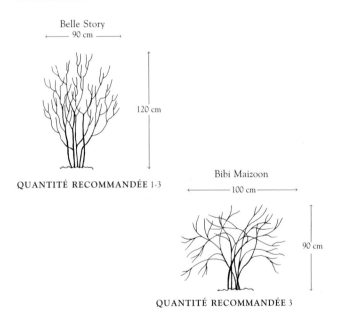

Belle Story
← 90 cm →

120 cm

QUANTITÉ RECOMMANDÉE 1-3

Bibi Maizoon
← 100 cm →

90 cm

QUANTITÉ RECOMMANDÉE 3

Bibi Maizoon (ci-dessous)

Au mieux de sa forme, BIBI MAIZOON produit des roses sans égales chez les rosiers anciens et les roses anglaises. Les fleurs sont superbes : grandes, globuleuses, d'un rose soutenu, évoquant un Centifolia amélioré ; elles sont très parfumées. Depuis son introduction en 1989, cette variété se dévoile capricieuse dans sa pousse. Ses fleurs, toujours belles, ne forment parfois que des coupes aplaties. La plante est quelquefois longue à la mise à fleurs : n'en attendez pas trop la première année, car elle demande parfois une saison de plus pour montrer ses talents. Une fois sa charpente établie, elle forme un petit arbuste élégant, étalé et retombant, aux fleurs légèrement pendantes.

BIBI MAIZOON

COMPORTEMENT GÉNÉRAL **	PARFUM ***
LIGNÉE 'ROSIER ANCIEN'	PARENTS 'THE REEVE' x 'CHAUCER'
APPELLATION AUSDIMINDO	DATE D'INTRODUCTION 1989

Bow Bells
←— 100 cm —→

120 cm

QUANTITÉ RECOMMANDÉE 1-3

Bow Bells (ci-dessus)

Cette excellente variété a de nombreux points
communs avec les rosiers buissons. Les fleurs
en coupe, petites à moyennes sont portées
en bouquets, comme chez les Floribundas, durant
tout l'été. Les roses elles-mêmes présentent de vraies
caractéristiques de roses anglaises, avec des pétales
globuleux du plus bel effet. La pousse est vigoureuse
et saine, donnant une plante touffue, large,
à l'excellent feuillage « moderne ».

COMPORTEMENT GÉNÉRAL **	PARFUM *
LIGNÉE —	PARENTS ('CHAUCER' x RUGOSA 'CONRAD FERDINAND MEYER') x 'GRAHAM THOMAS'
APPELLATION AUSBELLS	DATE D'INTRODUCTION 1991

BROTHER CADFAEL

Bredon

BREDON est un dense buisson court, florifère et solide. Les fleurs moyennes, en rosette, sont chamois, plus clair sur les bords. Elles dégagent un fort parfum de fruit. Cette variété tend vers les rosiers modernes, par son feuillage et son comportement, mais sa taille, sa solidité et sa végétation vigoureuse en font un excellent rosier pour petit jardin, pour les massifs, voire des haies basses.

COMPORTEMENT GÉNÉRAL *	PARFUM ***
LIGNÉE 'ALOHA'	PARENTS 'WIFE OF BATH' x 'LILIAN AUSTIN'
APPELLATION —	DATE D'INTRODUCTION 1984

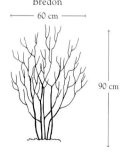

Bredon
← 60 cm →
90 cm

QUANTITÉ RECOMMANDÉE 3

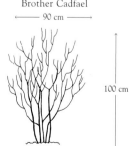

Brother Cadfael
← 90 cm →
100 cm

QUANTITÉ RECOMMANDÉE 1-3

Brother Cadfael (à gauche)

BROTHER CADFAEL possède des fleurs parmi les plus grandes et les plus somptueuses des roses anglaises. Les fleurs sont des coupes profondes, aux pétales légèrement recourbés donnant un léger effet de « chou » ; le coloris est un bon rose moyen. Malgré leur grande taille, elles ne tombent jamais et restent fermes et fraîches durant longtemps. Le parfum est étonnamment puissant. Les roses prennent des poses gracieuses sur les branches et sont bien proportionnées à l'arbuste et aux feuilles. Comme pour ABRAHAM DARBY, les fleurs de BROTHER CADFAEL sont tout indiquées comme centre d'un bouquet de fleurs plus petites. Le nom vient d'un personnage imaginaire dans les romans médiévaux d'un auteur du Shropshire.

COMPORTEMENT GÉNÉRAL ***	PARFUM ***
LIGNÉE 'GLOIRE DE DIJON'	PARENTS 'CHARLES AUSTIN' x SEMIS
APPELLATION AUSGLOBE	DATE D'INTRODUCTION 1990

CANTERBURY

Canterbury
75 cm

75 cm

QUANTITÉ RECOMMANDÉE 3-5

Canterbury (ci-dessus à droite)

CANTERBURY est, à mon avis, une des plus belles roses simples, en dehors des espèces sauvages. (Il s'agit en fait d'une variété demi-double, mais l'effet est celui d'une rose simple.) Les grandes fleurs, largement étalées, portent des pétales d'un rose pur, lumineux, luisants. Il pousse bas et étalé, et le feuillage est peu abondant. Ce n'est pas un buisson très vigoureux, ce qui fait qu'il est peu répandu malgré son indéniable beauté.

COMPORTEMENT GÉNÉRAL *	PARFUM **
LIGNÉE —	PARENTS (HT 'MONIQUE' x 'CONSTANCE SPRY')x SEMIS
APPELLATION —	DATE D'INTRODUCTION 1699

Cardinal Hume

Bien qu'introduit par Harkness et Cie, de Hitchin, j'ai inclus ce rosier parmi les roses anglaises, suivant leur suggestion, car il en présente tous les caractères. L'arbuste est quasiment parfait de forme, les branches s'ouvrant judicieusement pour former un massif souple, ravissant. Les fleurs, d'un riche pourpre sombre, un peu plus petites que la moyenne, sont portées en bouquets ; elles ont une odeur fruitée. Bien qu'elles n'aient pas la forme classique des vieilles roses, elles apparaissent à profusion – peu de rosiers remontent aussi régulièrement. La seule faiblesse de cette variété est sa sensibilité au marsonia qui rend les traitements obligatoires en zones exposées.

COMPORTEMENT GÉNÉRAL **	PARFUM **
LIGNÉE —	PARENTS (SEMIS x [FLORIBUNDA 'ORANGE SENSATION' x FLORIBUNDA 'ALLGOLD'] x R. CALIFORNICA) x BUISSON MODERNE 'FRANK NAYLOR'
APPELLATION HARREGALE	DATE D'INTRODUCTION 1984

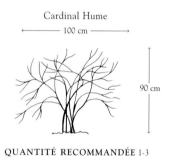

Cardinal Hume
← 100 cm →
90 cm

QUANTITÉ RECOMMANDÉE 1-3

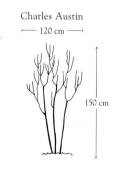

Charles Austin
← 120 cm →
150 cm

QUANTITÉ RECOMMANDÉE 3

COMPORTEMENT GÉNÉRAL *	PARFUM **
LIGNÉE 'ALOHA'	PARENTS 'CHAUCER' x GRIMPANT MODERNE 'ALOHA'
APPELLATION —	DATE D'INTRODUCTION 1973

CHARLES AUSTIN

Charles Austin (ci-dessus)

Populaire dès son introduction, dans les premières années des roses anglaises, CHARLES AUSTIN porte des fleurs de qualité, très grandes, appréciées des fleuristes. En forme de coupe, elles revêtent divers tons d'abricot qui pâlissent en vieillissant. Leur parfum de fruit est accusé. CHARLES AUSTIN demande à être taillé au moins de moitié pour ne pas devenir trop haut et dégingandé. Ses grandes feuilles rondes sont de style « moderne ». La remontance est inégale. Nommé d'après mon père, ce rosier a produit un sport jaune YELLOW CHARLES AUSTIN, introduit en 1981.

Charles Rennie Mackintosh (ci-dessous)

L'originalité de ce rosier vient de sa couleur variant, suivant les conditions climatiques, d'un lilas grisé à un lilas franc. C'est un ton parfait comme « tampon » entre d'autres rosiers de couleurs différentes, au jardin comme en bouquets. Les roses en coupe ont un lourd parfum et présentent au cœur des pétales plus petits, contournés en figures charmantes. La floraison reste généreuse jusqu'en fin d'été. La végétation est vigoureuse, buissonnante, avec des tiges minces et nombreuses, couvertes d'aiguilles. Le feuillage est de petite taille pour une rose anglaise. Nommé d'après le célèbre créateur d'Art nouveau, CHARLES RENNIE MACKINTOSH est un rosier populaire qui s'est avéré solide et fiable.

COMPORTEMENT GÉNÉRAL ***	PARFUM **
LIGNÉE 'MARY ROSE'	**PARENTS** ('CHAUCER' x RUGOSA 'CONRAD FERDINAND MEYER') x 'MARY ROSE'
APPELLATION AUSREN	**DATE D'INTRODUCTION** 1988

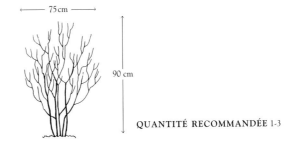

QUANTITÉ RECOMMANDÉE 1-3

Charmian
← 100 cm →
100 cm
QUANTITÉ
RECOMMANDÉE 2-3

Chaucer (ci-dessous)

CHAUCER produit des fleurs raffinées, en coupe profonde, caractéristiques des roses anciennes. Leur parfum de myrrhe est soutenu. La végétation est dense, érigée, et le feuillage mat, vert clair à vert moyen. Il souffre parfois de l'oïdium. CHAUCER est une de nos premières introductions et a engendré nombre de nos meilleures variétés.

COMPORTEMENT GÉNÉRAL *	PARFUM ***
LIGNÉE 'ROSIER ANCIEN'	PARENTS GALLICA 'DUCHESSE DE MONTEBELLO' x 'CONSTANCE SPRY'
APPELLATION —	DATE D'INTRODUCTION 1970

Charmian (ci-dessus)

CHARMIAN porte de grandes fleurs lourdes, d'un rose très soutenu, sous lesquelles ploient les branches souples. Elles s'ouvrent en rosette d'abord plate, s'ourlant parfois sur les bords par la suite. Le parfum de « vieille rose » est très marqué. L'arbuste est un peu mou et, en bordure ou en isolé, il vaut mieux en faire un groupe de deux ou plus. Guidé sur un mur ou un support quelconque, il devient un court grimpant de 2 m environ. Il servira également, planté en surplomb, à draper un mur de soutènement.

COMPORTEMENT GÉNÉRAL **	PARFUM ***
LIGNÉE 'ALOHA'	PARENTS SEMIS x 'LILIAN AUSTIN'
APPELLATION —	DATE D'INTRODUCTION 1982

Chaucer
← 90 cm →
100 cm
QUANTITÉ RECOMMANDÉE 3

Chianti (ci-dessous)

L'un des pères fondateurs des roses anglaises rouges,
CHIANTI forme un bel arbuste large et vigoureux,
produisant de grandes fleurs de type Gallica,
d'un riche cramoisi s'ombrant vite de marron pourpré.
Issu de parents remontants et non remontants,
il a lui-même ce dernier caractère, mais produit alors
une profusion de très belles fleurs comparables
aux meilleures roses anciennes. Son parfum
de « vieille rose » est très marqué. (Pour les détails
de sa naissance, voir pages 25 et 26.)

COMPORTEMENT GÉNÉRAL ***	PARFUM ***
LIGNÉE 'ROSIER ANCIEN'	**PARENTS** FLORIBUNDA 'DUSKY MAIDEN' x GALLICA 'TUSCANY'
APPELLATION —	**DATE D'INTRODUCTION** 1967

Chianti

← 150 cm →

150 cm

QUANTITÉ RECOMMANDÉE 1

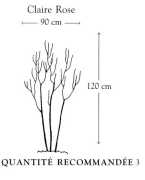

Claire Rose
← 90 cm →

120 cm

QUANTITÉ RECOMMANDÉE 3

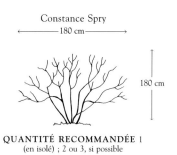

Constance Spry
← 180 cm →

180 cm

QUANTITÉ RECOMMANDÉE 1
(en isolé) ; 2 ou 3, si possible

Claire Rose (ci-dessus)

En pleine gloire, les fleurs de CLAIRE ROSE sont grandes, magnifiques et de qualité parfaite. D'abord rose tendre, elles pâlissent avec le temps et s'ouvrent par étapes en une rosette plate, parfois légèrement recourbée. Le parfum est puissant. La végétation dressée, exceptionnellement vigoureuse, en fait un excellent arbuste de fond de bordure, derrière d'autres rosiers et des vivaces. Mais il peut sembler dégingandé en isolé. C'est une variété très proche de CHARLES AUSTIN. Elle s'est avérée un peu décevante en Grande-Bretagne, ses fleurs « rouillant » sous la pluie. Un tel désagrément disparaît en climat chaud.

Constance Spry (à droite)

CONSTANCE SPRY est la toute première rose anglaise et a causé un vif intérêt lors de son introduction par Graham Thomas en 1961 (via les pépinières Sunningdale). Croisement d'un rosier non remontant et d'un remontant, il ne fleurit qu'une seule fois en début d'été. Ses fleurs gigantesques, en coupe, d'un ravissant rose tendre, sont à la fois parmi les plus belles et les plus grandes du type « vieille rose ». Elles dégagent un fort parfum de myrrhe et, avant ce rosier, il n'y avait pas eu d'autres créations portant ce parfum depuis l'époque des vieilles roses d'Ayrshire.

Rosier à la végétation exubérante, CONSTANCE SPRY peut devenir encombrant dans un petit espace. Sa culture sur un cadre bas est une bonne ressource ; on peut le cultiver aussi comme grimpant, et il atteint bien le mètre en se couvrant, à la saison, de fleurs géantes (le sujet de Mottisfont Abbey, que l'on voit page 24 est un remarquable exemplaire de ce rosier, très photographié). Quel que soit le mode de culture, il fournit un spectacle splendide. Son nom vient de Constance Spry (1886-1960), novatrice de l'art floral et collectionneuse, parmi les premières, de rosiers anciens, au début de ce siècle.

COMPORTEMENT GÉNÉRAL *	PARFUM **
LIGNÉE 'ALOHA'	PARENTS 'CHARLES AUSTIN' x (SEMIS x 'ICEBERG')
APPELLATION AUSLIGHT	DATE D'INTRODUCTION 1986

COMPORTEMENT GÉNÉRAL ***	PARFUM ***
LIGNÉE 'ROSIER ANCIEN'	PARENTS GALLICA 'BELLE ISIS' x FLORIBUNDA 'DAINTY MAID'
APPELLATION —	DATE D'INTRODUCTION 1961

Cottage Rose

Excellent rosier charmant et bon enfant, COTTAGE ROSE a une nette propension à remonter tout au long de l'été. Les fleurs moyennes, en coupes basses, sont d'un rose pur lumineux. Pleines de charme, elles ne possèdent cependant qu'un léger parfum de « vieille rose ». La végétation est plutôt érigée, avec de nombreuses latérales florifères, ce qui en fait un excellent sujet pour tout petit jardin.

COMPORTEMENT GÉNÉRAL ***	PARFUM *
LIGNÉE 'WIFE OF BATH'	PARENTS 'WIFE OF BATH' x 'MARY ROSE'
APPELLATION AUSGLISTEN	DATE D'INTRODUCTION 1991

Cottage Rose

← 75 cm →

90 cm

QUANTITÉ RECOMMANDÉE 1-3

Country Living

Par de nombreux aspects, COUNTRY LIVING
est le modèle des roses anglaises. Ce n'est pas
une plante particulièrement spectaculaire au
jardin – elle est plutôt discrète – mais elle comporte
la plupart des caractéristiques que je recherche pour
nos rosiers. La fleur est très proche de la « rose
ancienne » idéale. Les pétales nombreux, courts
et très bien serrés, forment une rosette parfaite.
D'un rose clair tendre, elles s'éclaircissent peu à peu.
Le centre comporte souvent un amusant œil vert,

discret, mais qui donne la touche finale nécessaire.
La végétation est basse, touffue, ramifiée avec
de petites feuilles. L'ensemble forme un bon buisson
compact, parfait pour les petits jardins, ou pour
des coins privilégiés dans les grands. Sa légère
tendance à disparaître en hiver, héritée de son parent
WIFE OF BATH, est sans conséquence. La plante,
en effet, rejette abondamment au printemps. Son
nom lui vient de la revue *Country Living,* enthousiaste
partisan de longue date des roses anglaises.

Country Living
← 60 cm →

90 cm

QUANTITÉ RECOMMANDÉE 3

COMPORTEMENT GÉNÉRAL ***	PARFUM *
LIGNÉE 'WIFE OF BATH'	PARENTS 'WIFE OF BATH' x 'GRAHAM THOMAS'
APPELLATION AUSCOUNTRY	DATE D'INTRODUCTION 1991

Cressida (à droite)

C'est un rosier de grande taille, tant par sa végétation que par ses fleurs. Le rosier mère, le Rugosa 'Conrad Ferdinand Meyer' est lui-même très solide et élevé, et CRESSIDA a beaucoup de ce caractère. De ce fait, il émet depuis la base d'énormes pousses charnues épineuses et forme un buisson, comme les Rugosas, avec de grosses feuilles rêches. Malgré leur taille, les fleurs ont un aspect délicat dû à leur forme en coupe lâche faite de pétales ondulés. Elles ont en leur cœur un rose abricot tendre, s'estompant en un rose très pâle à l'extérieur. L'odeur de myrrhe est d'une exceptionnelle puissance.

Cette variété est un peu paresseuse pour fleurir, encore que, dans les meilleures conditions, elle donne deux vagues de fleurs parfaites. Il lui faut vraiment de la place, pour pousser sans être taillée. Ce rosier se prête fort bien au palissage, ce qui est peut-être ce qui lui convient le mieux.

CRESSIDA

Cressida
← 250 cm →

250 cm

QUANTITÉ RECOMMANDÉE 1-3

COMPORTEMENT GÉNÉRAL **	PARFUM ***
LIGNÉE —	PARENTS RUGOSA 'CONRAD FERDINAND MEYER' x 'CHAUCER'
APPELLATION —	DATE D'INTRODUCTION 1983

Cymbeline (page ci-contre)

CYMBELINE forme un grand arbuste souple très comparable par la végétation et les fleurs à LUCETTA. La différence tient dans sa rare couleur rose argenté, à ma connaissance sans équivalent dans le monde des roses. Comme les variétés mauves et lilas, ce rosier est un remarquable liant dans les compositions de coloris, tant au jardin qu'en bouquet. Les fleurs n'ont pas la typique forme « vieille rose » ; elles s'ouvrent largement, à plat, et sont demi-doubles.

Grandes – souvent près de 12 cm de large – elles sentent fort la myrrhe. La photographie montre des fleurs à demi-ouvertes.

COMPORTEMENT GÉNÉRAL **	PARFUM ***
LIGNÉE 'HERITAGE'	PARENTS SEMIS x 'LILIAN AUSTIN'
APPELLATION —	DATE D'INTRODUCTION 1982

Dove

Le plus aimable chez ce rosier est son port élégant, bas et étalé, avec des fleurs portées par des branches légèrement retombantes. Les feuilles sombres, pointues, sont d'un type HERITAGE marqué. Il est légèrement sensible au marsonia. Ces roses sont, parmi les roses anglaises, les plus comparables à celles d'un hybride de Thé, mais s'ouvrant en une fleur identique à un camélia, aussi belle en bouton qu'épanouie. La couleur est d'un rose très pâle, très proche du blanc, presque délavée. Le parfum est celui de la pomme verte.

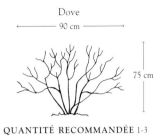

Dove
90 cm
75 cm

QUANTITÉ RECOMMANDÉE 1-3

COMPORTEMENT GÉNÉRAL *	PARFUM **
LIGNÉE 'HERITAGE'	PARENTS 'WIFE OF BATH' x SEMIS ISSU DU FLORIBUNDA 'ICEBERG'
APPELLATION —	DATE D'INTRODUCTION 1984

CYMBELINE

Cymbeline
150 cm
120 cm

QUANTITÉ RECOMMANDÉE 3

Ellen

Cette variété porte d'énormes coupes un peu
alanguies, d'un abricot soutenu et au lourd parfum.
Comme chez CHARLES AUSTIN, le port est dressé, mais
plus ouvert et plus touffu, avec un large feuillage.
Ce n'est pas un rosier très raffiné, mais il peut faire
de l'effet dans une bordure.

COMPORTEMENT GÉNÉRAL *	PARFUM ***
LIGNÉE 'ALOHA'	PARENTS 'CHARLES AUSTIN' x SEMIS
APPELLATION —	DATE D'INTRODUCTION 1984

Ellen
← 120 cm →

120 cm

QUANTITÉ RECOMMANDÉE 1-3

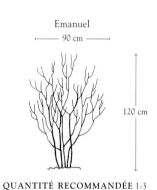

Emanuel
← 90 cm →

120 cm

QUANTITÉ RECOMMANDÉE 1-3

Emanuel (à droite)

Ce rosier produit de larges fleurs lourdes,
capiteuses, d'un doux rose tendre, ombré d'or
à la base des pétales. Largement ouvertes,
et recourbées en fin de floraison, elles peuvent

COMPORTEMENT GÉNÉRAL *	PARFUM ***
LIGNÉE 'HERITAGE'	PARENTS ('CHAUCER' x GRIMPANT MODERNE 'PARADE') x (SEMIS x FLORIBUNDA 'ICEBERG')
APPELLATION —	DATE D'INTRODUCTION 1985

EMANUEL

atteindre 12 cm de diamètre. Malgré leur taille, elles sont produites en abondance et s'inclinent élégamment sur leur tige pour vous faire face ; elles sont richement parfumées. La végétation est vigoureuse avec des feuilles sombres abondantes. Ce serait là une de nos meilleures réussites sans une tendance au marsonia. Un traitement régulier peut y remédier. Ce rosier a été dénommé ainsi en l'honneur de Daniel et Elizabeth Emanuel, couturiers de la robe de mariée de la princesse de Galles, Lady Diana.

EMILY

Emily (à droite)

Ce charmant rosier porte des fleurs de forme unique. En boutons elles se présentent comme d'élégantes petites coupes rose tendre ; puis les pétales de lisière se recourbent, laissant le centre formé en coupe. Plus tard, les pétales centraux s'ouvrent à leur tour pour former une rosette et les extérieurs s'ouvrent encore plus, pour donner une troisième figure. Parfois toute la fleur se forme en rosette. Tout au long du processus, les pétales extérieurs sont plus clairs et soulignent donc les changements. À tous les stades, la fleur est exquise et fortement parfumée. Celle qu'on voit ici n'est pas tout à fait typique : nous devrions avoir des pétales externes à plat. La végétation est trapue, dressée et peu touffue. Bien que de vigueur restreinte, c'est une plante que je maintiens dans mon catalogue de roses anglaises, tant elle est belle. Elle demande un sol riche et de bons engrais et, avec de bons soins, s'avère un rosier utile dans les petits jardins.

Emily
← 60 cm →

75 cm

QUANTITÉ RECOMMANDÉE
3 ou plus

COMPORTEMENT GÉNÉRAL **	PARFUM ***
LIGNÉE 'WIFE OF BATH'	PARENTS 'THE PRIORESS' x 'MARY ROSE'
APPELLATION AUSBURTON	DATE D'INTRODUCTION 1992

English Elegance

Ce rosier forme un grand buisson aux tiges légèrement arquées qui, comme son nom l'indique, lui confèrent une certaine élégance. Les fleurs grandes restent légères et sont joliment placées sur les branches. Elles s'ouvrent amplement, leurs pétales internes habilement imbriqués, enfoncés dans une couronne de pétales extérieurs disposés régulièrement. Le cœur présente toute une gamme de tons, du rose au saumon et au cuivre, la couronne étant d'un rose plus frais. Ce mélange de coloris produit un délicieux effet automnal. Bien que peu répandue et, à vrai dire, n'ayant que deux vagues de floraison, cette variété est intéressante en bordure, en particulier au fond, d'où elle peut s'incliner sur d'autres plantes et s'y mêler.

COMPORTEMENT GÉNÉRAL **	PARFUM *
LIGNÉE 'HERITAGE'	PARENTS INCONNUS
APPELLATION —	DATE D'INTRODUCTION 1986

English Elegance

← 120 cm →

150 cm

QUANTITÉ RECOMMANDÉE 3

English Garden
— 75 cm —
90 cm

QUANTITÉ
RECOMMANDÉE 3-5

English Garden

ENGLISH GARDEN porte des fleurs parfaites dans le genre « vieille rose ». Elles s'ouvrent à plat en nombreux pétales courts, puis se renflent un peu. La couleur passe d'un camaïeu de jaune, au cœur, à un blanc cassé vers l'extérieur. Elles ont une légère senteur de « rose Thé ». C'est une variété courte, dressée, un peu comme un hybride de Thé. Ce port, imparfait pour la bordure, s'accorde fort bien aux massifs. Les feuilles sont vert pâle.

COMPORTEMENT GÉNÉRAL ***	PARFUM *
LIGNÉE —	PARENTS ('LILIAN AUSTIN' x SEMIS) x (FLORIBUNDA 'ICEBERG' x 'WIFE OF BATH')
APPELLATION AUSBUFF	DATE D'INTRODUCTION 1986

Evelyn
← 90 cm →

100 cm

QUANTITÉ RECOMMANDÉE 3-5

Evelyn (ci-dessus)

EVELYN est un grand rosier, imposant. C'est une variété difficile à décrire, ses fleurs variant beaucoup tant en forme qu'en couleur. Celle-ci est d'ordinaire un brillant mélange d'abricot et de jaune, à peine ombré de rose. Mais, à certaines époques – en fin de saison, notamment – elle se rapproche du rose pur. De même, pour la forme, c'est tantôt une large coupe très plate, aux pétales courbés sur le bord, tantôt une rosette parfaite. Quoi qu'il en soit, les fleurs sont toujours belles et leur versatilité ajoute à l'attrait du rosier. EVELYN est un rosier « frère » de JAYNE AUSTIN et SWEET JULIET et comporte un peu du caractère de chacun. Il est plus court cependant, avec plus de fleurs et moins de bois. Il forme un buisson dense, vigoureux, érigé, de taille moyenne.

Cette variété est peut-être la plus délicieusement et fortement parfumée de toutes les roses anglaises. Les parfumeurs Crabtree & Evelyn l'ont choisie pour représenter leur maison.

COMPORTEMENT GÉNÉRAL ***	PARFUM ***
LIGNÉE 'GLOIRE DE DIJON'	PARENTS 'GRAHAM THOMAS' x 'TAMORA'
APPELLATION AUSSAUCER	DATE D'INTRODUCTION 1991

Fair Bianca (ci-dessous)

FAIR BIANCA donne des fleurs d'une perfection exquise parmi les plus remarquables de toutes les roses anglaises. Bien que de taille moyenne, elles forment une rosette pleine, à peine teintée de crème, parfois, à la base des pétales. Le parfum de myrrhe est très marqué. FAIR BIANCA constitue un court arbuste à végétation érigée, buissonnante, au feuillage assez clairsemé, vert tendre et aux nombreux aiguillons fins. Il rappelle un rosier ancien tant par ses fleurs que son port.

COMPORTEMENT GÉNÉRAL **	PARFUM ***
LIGNÉE 'ROSIER ANCIEN'	PARENTS INCONNUS
APPELLATION —	DATE D'INTRODUCTION 1982

Financial Times
Centenary

← 75 cm →

120 cm

QUANTITÉ RECOMMANDÉE 3-5

Financial Times Centenary (ci-dessus)

Le plus remarquable, chez cette rose, est peut-être la merveilleuse netteté de son coloris – un riche rose pur. (L'exemplaire qu'on voit ici, entrouvert, n'est pas aussi rose qu'il le deviendra par la suite.) Les fleurs très hautes sont fortement globuleuses ; les pétales se recourbent en cachant partiellement le cœur. Le port de la plante peut apparaître trop rigide pour être parfait, mais c'est en fait un rosier idéal pour le fond de la bordure. Il s'habille d'un large feuillage sombre et émet une riche senteur de « vieille rose ». Son nom commémore le centenaire, en 1988, du *Financial Times*.

Fair Bianca

← 60 cm →

90 cm

QUANTITÉ RECOMMANDÉE 3

COMPORTEMENT GÉNÉRAL *	PARFUM ***
LIGNÉE —	PARENTS DEUX SEMIS NON DÉNOMMÉS
APPELLATION AUSFIN	DATE D'INTRODUCTION 1988

FISHERMAN'S
FRIEND

← 75 cm →

100 cm

QUANTITÉ RECOMMANDÉE 3

Fisherman's Friend (ci-dessus)

Cette rose est d'un grenat-cramoisi soutenu. Ses fleurs raffinées, aux pétales serrés, formant d'abord des coupes, puis de jolies rosettes ; avec un parfum de « vieille rose » bien marqué. Le rosier est vigoureux. Il souffre parfois du marsonia en Grande-Bretagne, mais résiste remarquablement aux hivers nord-américains. Son nom fut attribué lors d'enchères au profit de l'enfance malheureuse.

COMPORTEMENT GÉNÉRAL *	PARFUM ***
LIGNÉE 'THE SQUIRE'	PARENTS 'LILIAN AUSTIN' x 'THE SQUIRE'
APPELLATION AUSCHILD	DATE D'INTRODUCTION 1987

Francine Austin (à droite)

FRANCINE AUSTIN, comme THE ALEXANDRA ROSE, n'est pas rangé d'ordinaire parmi les roses anglaises. C'est pourtant le descendant d'une vieille variété, l'excellent de Noisette 'Alister Stella Gray', et il se rapproche suffisamment du tempérament des roses anglaises pour être classé ici. Par maints aspects, il rappelle un couvre-sol, chargé de larges corymbes de petites fleurs blanches en pompons. Ces derniers

Francine Austin

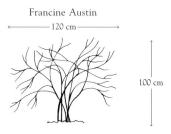

← 120 cm →

100 cm

QUANTITÉ RECOMMANDÉE 1, 3 ou plus

sont en eux-mêmes très jolis, portés par de fins pédoncules. Leur effet aérien est particulièrement bienvenu en compagnie de roses plus lourdes, au jardin ou en bouquets. La végétation est excellente, donnant un buisson arqué, élégant. Les feuilles vert pâle se composent de folioles étroites et espacées.

Laissés libres, les sujets de FRANCINE AUSTIN peuvent devenir gros et grands ; quand la place le permet, il vaut sans doute mieux les planter en groupe pour obtenir un buisson dense et serré. À l'opposé, on peut le rabattre sévèrement chaque année. De nouvelles pousses apparaissent alors à la base et donnent un arbuste plus court. Il reste la possibilité de l'appuyer contre un mur où il formera un excellent grimpant remontant. Ce remarquable arbuste tient son nom de ma belle-fille.

COMPORTEMENT GÉNÉRAL ***	PARFUM *
LIGNÉE —	PARENTS NOISETTE 'ALISTER STELLA GRAY' x BUISSON MODERNE 'BALLERINA'
APPELLATION AUSRAM	DATE D'INTRODUCTION 1988

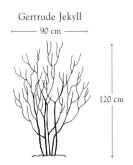

Gertrude Jekyll
← 90 cm →
120 cm

QUANTITÉ RECOMMANDÉE 2 ou 3

Gertrude Jekyll

GERTRUDE JEKYLL porte de grandes fleurs typiques du style « rosier ancien », d'un magnifique rose chaleureux et nuancé. Naissant sous forme de boutons légers, petits, un peu semblables à ceux du rosier Alba 'Celestial', elles nous surprennent à l'épanouissement en devenant de grosses roses assez lourdes, en rosette, rappelant fortement les Portland. Le parfum de « vieille rose » de GERTRUDE JEKYLL est particulièrement accentué, à tel point qu'à la suite de récentes expériences, aux fins d'extraction d'huile essentielle, cette rose s'est classée au-dessus de toutes les autres. Depuis, elle a été égalée par une autre rose anglaise, EVELYN. La végétation est remarquablement vigoureuse, un peu déséquilibrée parfois. Les feuilles, aux folioles pointues, sont grandes, avec un peu de l'élégance des roses de Damas.

Au cours de notre quête des qualités pratiques pour nos rosiers – santé, vigueur, bonne remontance, etc., – nous recroisons parfois nos variétés avec des rosiers anciens pour renforcer un caractère que nous pensons estompé. GERTRUDE JEKYLL est un mariage de WIFE OF BATH et du beau rosier Portland 'Comte de Chambord'. Ce dernier présente, par bien des points, les qualités d'une rose anglaise avec son air typique de « vieille rose », le parfum correspondant et une qualité de remontance.

Cette belle et fiable rose tient son nom de la jardinière Gertrude Jekyll (1843-1932).

COMPORTEMENT GÉNÉRAL ***	PARFUM ***
LIGNÉE 'PORTLAND'	PARENTS 'WIFE OF BATH' x PORTLAND 'COMTE DE CHAMBORD'
APPELLATION AUSBORD	DATE D'INTRODUCTION 1986

Glamis Castle
75 cm
90 cm

QUANTITÉ RECOMMANDÉE 1-3

Glamis Castle

Ce remarquable rosier produit des fleurs blanches
sur un beau buisson gracieux, fourni, élégamment
ramifié. Les fleurs sont des coupes profondes
aux pétales rangés avec naturel ; le parfum de myrrhe
est soutenu. Court, il est idéal pour les petits jardins
ou en massifs entiers. Il fleurit avec la générosité
et la constance d'un Floribunda, tout en conservant
le vrai charme d'un rosier ancien ; en masse, il produit
un effet nuageux. GLAMIS CASTLE tire son nom du fief
écossais des comtes de Strathmore et Kinghorne,
résidence royale depuis 1372, maison d'enfance
de Sa Majesté la reine mère Elizabeth,
lieu de naissance de Son Altesse Royale la princesse
Margaret et c'est le théâtre de l'action du *Macbeth*
de Shakespeare.

COMPORTEMENT GÉNÉRAL ***	PARFUM ***
LIGNÉE 'WIFE OF BATH'	PARENTS 'GRAHAM THOMAS' x 'MARY ROSE'
APPELLATION AUSLEVEL	DATE D'INTRODUCTION 1992

Golden Celebration
←—— 120 cm ——→

120 cm

QUANTITÉ RECOMMANDÉE 1-3

Golden Celebration

Cette variété est en passe de devenir, parmi nos meilleures créations, l'une des plus populaires. Elle porte des fleurs géantes, en coupes, portées avec grâce par des tiges arquées. Leur coloris est un superbe jaune cuivré, peu commun chez les rosiers, et unique chez les roses anglaises. Une observation plus méticuleuse nous apprend que cette couleur est due à la présence de minuscules points roses sur fond jaune soutenu, détail qui échappe souvent. Le parfum des fleurs est très puissant. La végétation et le feuillage sont vigoureux et résistent fort bien aux maladies. C'est une variété complète, combinant beauté, élégance et solidité.

COMPORTEMENT GÉNÉRAL ***	PARFUM ***
LIGNÉE 'ALOHA'	PARENTS 'CHARLES AUSTIN' x 'ABRAHAM DARBY'
APPELLATION AUSGOLD	DATE D'INTRODUCTION 1992

Graham Thomas

Même après l'introduction de nombreux
rosiers jaunes d'une qualité parfois
supérieure à celle d'autres coloris, cette
variété reste une des plus estimées chez
les roses anglaises. Il y a de bonnes raisons
à cela : non seulement c'est en tous points
un excellent rosier, mais je ne vois guère
de variété, même parmi les hybrides de
Thé, qui produit un jaune aussi pur
et chaud. En plein épanouissement,
les fleurs revêtent la meilleure forme en
coupe qui soit et dégagent un délicieux
parfum de thé.

Graham Thomas
← 120 cm →

120 cm

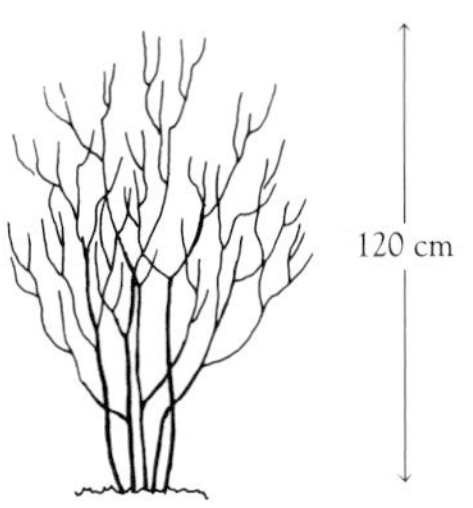

QUANTITÉ RECOMMANDÉE 1-3

La végétation de GRAHAM THOMAS est excellente.
Vigoureux et ramifié, il donne des fleurs avec
une constance parfaite durant tout l'été. En climat
chaud, il devient même un peu trop vigoureux
et produit de longues tiges sarmenteuses qu'il faut
couper pour lui garder son aspect de buisson.
L'une des meilleures et des plus belles des roses
anglaises, GRAHAM THOMAS a beaucoup fait
pour leur popularité depuis l'effet produit sur le public
lors de sa présentation, avec MARY ROSE, au Chelsea
Flower Show en 1983.

Graham Thomas, qui a choisi cette variété
pour qu'elle porte son nom, a été un actif partisan
de la réintroduction des rosiers anciens et
l'on peut dire qu'il a tracé le chemin à la création
des roses anglaises.

COMPORTEMENT GÉNÉRAL ***	PARFUM ***
LIGNÉE 'HERITAGE'	PARENTS 'CHARLES AUSTIN' x (FLORIBUNDA 'ICEBERG' x SEMIS)
APPELLATION AUSMAS	DATE D'INTRODUCTION 1983

Gruss an Aachen

Obtenu en 1909 par l'Allemand F. Geduldig,
ce beau rosier est issu du mariage du vieil hybride
remontant 'Frau Karl Druschki' et d'un hybride
de Thé. Je l'ai classé ici comme rose anglaise,
car il a beaucoup en commun avec l'idéal du genre.
Les fleurs de type ancien ont une ligne en forme
de coupe, d'un délicat rose nacré qui exhale
avec force une séduisante odeur lorsqu'elles
deviennent blanc crème. GRUSS AN AACHEN forme
un robuste petit buisson au feuillage sain. Il en existe
une forme grimpante.

COMPORTEMENT GÉNÉRAL **	PARFUM ***
LIGNÉE —	PARENTS HYBRIDE REMONTANT 'FRAU KARL DRUSCHKI' x HT 'FRANZ DEEGEN'
APPELLATION —	DATE D'INTRODUCTION 1909

Heritage (à droite)

HERITAGE est l'une des meilleures roses anglaises
et l'une des plus populaires. Les fleurs de taille
moyenne sont des coupes parfaites. Le très doux
rose clair du cœur tend vers le blanc sous les pétales
externes. La fleur, par sa beauté, évoque
un coquillage. L'aimable parfum est puissant,
avec un rappel de miel. La végétation est également
satisfaisante, tenant beaucoup de son grand-père
'Iceberg' mais avec un doux feuillage plutôt du type
Moschata et des branches lisses aux aiguillons rares.
Solide et dense, il émet volontiers des tiges florifères
à tous les niveaux. Doté d'une belle remontance,
il forme, à terme, un joli buisson arrondi.

COMPORTEMENT GÉNÉRAL ***	PARFUM ***
LIGNÉE 'HERITAGE'	PARENTS SEMIS x (FLORIBUNDA 'ICEBERG' x 'WIFE OF BATH')
APPELLATION AUSBLUSH	DATE D'INTRODUCTION 1984

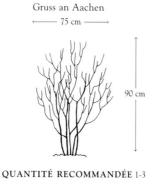

Gruss an Aachen

← 75 cm →

90 cm

QUANTITÉ RECOMMANDÉE 1-3

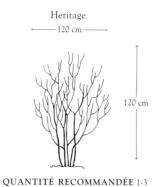

Heritage

← 120 cm →

120 cm

QUANTITÉ RECOMMANDÉE 1-3

Hero (à gauche)

Le caractère exceptionnel de ce rosier vient du rose pur de ses fleurs fortement globuleuses. En cours de saison, elles forment plutôt une coupe basse, telle celle illustrée ici. Fortement parfumées de myrrhe, elles sont très espacées et portées en bouquets. La silhouette est élevée et, selon les standards de variétés plus récents, peut-être un peu trop évasée. Les tiges sont longues, tendres, peu feuillues et faiblement épineuses. C'est un rosier à cultiver en groupes de trois ou plus, pour former un seul buisson dense.

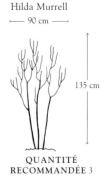

Hilda Murrell
— 90 cm —
135 cm

QUANTITÉ
RECOMMANDÉE 3

Hilda Murrell

Nous classons ce rosier comme non remontant. En climat chaud, il donne parfois une seconde floraison, mais exceptionnellement en Grande-Bretagne. Ses jolies fleurs revêtent une belle forme de rosette, d'un rose lumineux très subtil. Leurs nombreux pétales s'ouvrent à plat et dégagent une franche odeur de « vieille rose ». Le feuillage généreux et rêche et les tiges très épineuses rappellent un Rugosa. La pousse est vigoureuse et dressée. Hilda Murrell, à qui ce rosier fut dédié juste après sa mort mystérieuse en 1984, était une pionnière de la réintroduction des rosiers anciens.

Hero
— 120 cm —
150 cm

QUANTITÉ RECOMMANDÉE 3 ou plus

COMPORTEMENT GÉNÉRAL **	PARFUM ***
LIGNÉE 'HERITAGE'	PARENTS 'THE PRIORESS' x SEMIS
APPELLATION —	DATE D'INTRODUCTION 1982

COMPORTEMENT GÉNÉRAL *	PARFUM ***
LIGNÉE 'THE SQUIRE'	PARENTS SEMIS x (GRIMPANT MODERNE 'PARADE' x 'CHAUCER')
APPELLATION —	DATE D'INTRODUCTION 1984

Jayne Austin (ci-dessous)

On trouve une foule d'excellents jaunes et abricot parmi les variétés de roses anglaises, la plupart ayant pour ancêtre le fameux grimpant de Noisette 'Gloire de Dijon'. JAYNE AUSTIN, dédié à l'une de mes brus, s'y distingue par la délicatesse de ses fleurs et leur perfection de forme. La texture soyeuse des pétales, liée à leur doux ton jaune, donne aux fleurs un charme difficile à surpasser. Elles sont de taille moyenne à grande, d'abord en coupe plate, puis en rosette ;

elles dégagent la plus merveilleuse odeur de thé qui soit. La végétation dressée est particulièrement robuste, avec abondance de rejets de base. Comme d'autres rosiers jaunes de ce groupe, celui-ci a tendance à émettre des branches longues qui, laissées telles quelles, le défigurent. Il faut les rabattre quand le bois s'aoûte pour lui conserver une silhouette régulière. Le feuillage abondant, vert pâle, montre son origine de Noisette.

Jayne Austin

← 100 cm →

120 cm

QUANTITÉ RECOMMANDÉE 3

COMPORTEMENT GÉNÉRAL ***	PARFUM ***
LIGNÉE 'GLOIRE DE DIJON'	PARENTS 'GRAHAM THOMAS' x 'TAMORA'
APPELLATION AUSBREAK	DATE D'INTRODUCTION 1990

Kathryn Morley

Ce petit rosier est un de nos préférés.
Les très grandes fleurs forment des coupes profondes,
parfois plus plates dans de mauvaises conditions.
Elles sont rose tendre. Bien qu'elles ne soient pas
d'une symétrie parfaite, leur irrégularité est plaisante.
Je crois que c'est l'enchevêtrement des pétales
qui leur donne ce charme. Le parfum reste puissant
par tous les temps et balance entre la myrrhe
et la « vieille rose ». La pousse est vigoureuse
et les fleurs sont portées par de longues tiges,
donnant beaucoup d'allure à la plante.
M. et Mme Éric Morley ont acheté le droit
de nommer ce rosier dans une vente de charité
aux enchères et l'ont dédié à leur fille disparue.

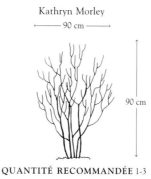

Kathryn Morley
← 90 cm →
90 cm

QUANTITÉ RECOMMANDÉE 1-3

COMPORTEMENT GÉNÉRAL ***	PARFUM ***
LIGNÉE 'ROSIER ANCIEN'	PARENTS 'MARY ROSE' x 'CHAUCER'
APPELLATION AUSVARIETY	DATE D'INTRODUCTION 1990

L.D. Braithwaite

Les bons rouges sont difficiles à obtenir, dans toutes les catégories de rosiers. Cette couleur tend à passer facilement à un rose peu aimable. Parmi les roses anglaises, L.D. BRAITHWAITE offre des fleurs du plus brillant cramoisi qui ne fanent pas facilement. Les fleurs sont plaisantes. Si elles ne présentent pas une forme classique de rose ancienne, elles s'ouvrent largement en une inflorescence relativement lâche. Produites avec une remarquable constance tout au long de la saison, il est rare d'en voir un groupe démuni. Le parfum de « vieille rose » est bien accusé.

L.D. Braithwaite
← 100 cm →
100 cm

QUANTITÉ RECOMMANDÉE 3

De végétation basse, large et évasée, c'est un rosier adapté au jardin. Issu du croisement de MARY ROSE, à la remarquable vigueur, et de THE SQUIRE, peu poussant, mais aux fleurs splendides, L.D. BRAITHWAITE a pris le meilleur de ses parents. Certaines roses anglaises le surpassent sans doute, par la qualité de leurs fleurs. Mais je le considère comme un des meilleurs rouges disponibles. Il doit son nom à mon beau-père Leonard Braithwaite.

COMPORTEMENT GÉNÉRAL ***	PARFUM **
LIGNÉE 'THE SQUIRE'	PARENTS 'MARY ROSE' x 'THE SQUIRE'
APPELLATION AUSCRIM	DATE D'INTRODUCTION 1988

Leander

Arbuste de grande qualité et de belle taille, LEANDER porte des fleurs abricot soutenu, juste moyennes, en larges bouquets. Elles sont parfaitement formées, les pétales se déployant dans une symétrie impeccable du cœur vers l'extérieur. Elles sont plus petites et délicates que chez son parent CHARLES AUSTIN mais, comme chez lui, manquent du soyeux des roses anciennes. Le parfum, fruité, est bien marqué. LEANDER est indiqué comme arbuste d'ornement, formant une touffe élevée mais non rigide, particulièrement utile dans une bordure avec d'autres grandes plantes. La pousse est très vigoureuse et le feuillage large, vernissé, est presque indemne de maladies. Bien que nous le donnions comme non remontant, LEANDER est capable de remontance, mais seulement sur une ou deux pousses de base, en automne.

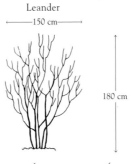

Leander
←—150 cm—→
180 cm
QUANTITÉ RECOMMANDÉE 1
(ou plus si l'on a de la place)

Lilac Rose
←— 75 cm —→
90 cm
QUANTITÉ RECOMMANDÉE 1-3

COMPORTEMENT GÉNÉRAL ***	PARFUM **
LIGNÉE 'ALOHA'	PARENTS 'CHARLES AUSTIN' x SEMIS
APPELLATION —	DATE D'INTRODUCTION 1982

Lilian Austin (à droite)

LILIAN AUSTIN produit des fleurs odorantes d'environ 9 cm de diamètre, largement ouvertes et informelles. De couleur rose saumon avec des tons orange et abricot, elles repoussent sans relâche. Très utile et fiable, cette variété a une silhouette «moderne», mais bien buissonnante. La végétation est vigoureuse, basse, un peu comme un couvre-sol. Bien que jamais désordonné, son port tient beaucoup de son parent 'Aloha'. Il est le choix juste pour être placé en lisière de bordure où sa silhouette étalée sera utilisée pour déborder sur l'allée. Dédié à ma mère, grand amateur de fleurs, LILIAN AUSTIN s'est affirmé un parent important puisqu'il fut le biais par lequel 'Aloha' a marqué de son sceau les roses anglaises.

Lilac Rose

LILAC ROSE porte de grandes fleurs parfaitement formées en rosette, d'une délicate teinte lilacée. Le parfum est exceptionnel. C'est le rosier qui convient en association avec des variétés d'autres tons, surtout en lisière de bordure où sa couleur et son port bas, tabulaire et dense le fera se mêler avec bonheur aux plantes voisines.

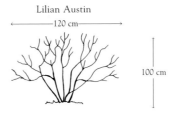

Lilian Austin
←—120 cm—→
100 cm
QUANTITÉ RECOMMANDÉE 1-3 ou plus

COMPORTEMENT GÉNÉRAL **	PARFUM ***
LIGNÉE —	PARENTS SEMIS x 'HERO'
APPELLATION AUSLILAC	DATE D'INTRODUCTION 1990

COMPORTEMENT GÉNÉRAL ***	PARFUM **
LIGNÉE 'ALOHA'	PARENTS GRIMPANT MODERNE 'ALOHA' x 'THE YEOMAN'
APPELLATION —	DATE D'INTRODUCTION 1973

Lucetta

Avec ses longs rameaux arqués et ses grandes feuilles vernissées, LUCETTA appartient à la lignée HERITAGE. Les fleurs en coupe, de 12 cm de diamètre et un peu plus que demi-doubles, s'ouvrent à plat. Leur rose tendre tourne presque au blanc vers la fin de leur vie. Leur jolie silhouette nette, au dessin bien marqué, s'allie à leur fort parfum. Planté par groupe de trois ou plus, ce rosier ne formera plus qu'un seul buisson raffiné et élégant. Il est rarement défleuri et se présente en tous points solide et fiable. La photographie nous montre une fleur entrouverte.

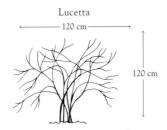

Lucetta
← 120 cm →
120 cm

QUANTITÉ RECOMMANDÉE 1-3 ou plus

COMPORTEMENT GÉNÉRAL **	PARFUM ***
LIGNÉE 'HERITAGE'	PARENTS INCONNUS
APPELLATION —	DATE D'INTRODUCTION 1983

Mary Rose

MARY ROSE est une variété dotée de nombreuses qualités. Quoique d'allure plutôt banale, ses avantages en font un parfait rosier à tout faire. Sa floraison ininterrompue, commence tôt, finit tard, avec peu de temps entre chaque vague. La végétation est à peu près idéale, dense, branchue et vigoureuse sans être broussailleuse, et les maladies lui sont inconnues. Les fleurs, rose vif, ont le charme simple des roses du passé. Bien que de forme assez lâche, elles sont élégamment orientées sur la tige. L'effet d'ensemble en bordure est très attrayant. Son parfum est très discret.

MARY ROSE a beaucoup servi dans nos programmes et a transmis ses nombreuses qualités à nos créations plus récentes. Il a également fourni de nombreux sports, dont le blanc WINCHESTER CATHEDRAL et le rose tendre REDOUTÉ. De telles mutations de couleurs sont fréquentes chez les rosiers et quand nous en trouvons une intéressante dans nos cultures, nous la multiplions aussitôt. Ce rosier a reçu son nom pour marquer la spectaculaire découverte dans la Solent, au bout de quatre siècles, du fameux navire amiral d'Henri VIII.

Mary Rose
← 120 cm →

120 cm

QUANTITÉ RECOMMANDÉE 1-3

COMPORTEMENT GÉNÉRAL ***	PARFUM *
LIGNÉE 'MARY ROSE'	PARENTS 'WIFE OF BATH' x 'THE MILLER'
APPELLATION AUSMARY	DATE D'INTRODUCTION 1983

Mary Webb

MARY WEBB produit de très grandes fleurs en coupe, aux nombreux pétales. De tous les tons de jaune qui existent parmi les rosiers, le citron pâle est peut-être le plus aimable. Ces roses sont exactement de cette couleur. Portées par de longues tiges, elles sont fortement odorantes. La végétation est vigoureuse, dense et dressée, et le feuillage large, vert pâle. Bien que ne figurant pas au premier rang parmi les roses anglaises, celui-ci donne d'excellents résultats sous abri, comme nous l'avons vu en le forçant pour le Chelsea Flower Show. Ce qui me fait penser qu'il serait plus performant en climat chaud. Il tient son nom de Mary Webb, poétesse et romancière du Shropshire (1881-1927).

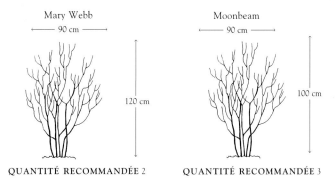

Mary Webb
← 90 cm →
120 cm

QUANTITÉ RECOMMANDÉE 2

Moonbeam
← 90 cm →
100 cm

QUANTITÉ RECOMMANDÉE 3

Moonbeam (ci-dessous)

MOONBEAM se rapproche plus d'un buisson moderne que d'une typique rose anglaise. C'est cependant, un rosier fiable, portant en bouquets de grandes fleurs demi-doubles d'un abricot pâle. Florifère, on peut compter sur lui pour un joli spectacle tant en début qu'en fin de saison.

COMPORTEMENT GÉNÉRAL *	PARFUM ***
LIGNÉE 'ALOHA'	PARENTS SEMIS x FLORIBUNDA 'CHINATOWN'
APPELLATION —	DATE D'INTRODUCTION 1984

COMPORTEMENT GÉNÉRAL **	PARFUM **
LIGNÉE —	PARENTS INCONNUS
APPELLATION —	DATE D'INTRODUCTION 1983

Othello (à gauche)

OTHELLO fleurit en grandes coupes lourdes, ouvertes, avec un cœur de nombreux pétales courts. La couleur de base est un cramoisi un peu mat, mais ses replis nombreux se parent de toutes sortes de nuances, allant du cramoisi au cerise et au mauve. Des fleurs cramoisies, comme ici, apparaissent souvent, mais généralement, c'est plutôt un mélange de tons. Elles sont portées par des tiges rigides, dressées et embaument la «vieille rose». La végétation, bien que dressée, est dense et assez épineuse. Les feuilles, vert foncé, sont épaisses et rêches. C'est là un rosier inhabituel, peut-être un peu rustique pour certains, mais il mérite d'être apprécié pour son originalité.

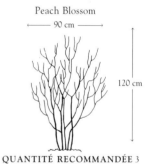

Peach Blossom
← 90 cm →

120 cm

QUANTITÉ RECOMMANDÉE 3

Peach Blossom

PEACH BLOSSOM produit à profusion d'élégantes roses demi-doubles, d'un délicat rose tendre. L'arbuste dressé est touffu. Les fleurs ne ressemblent pas vraiment à celles d'un pêcher, car elles sont beaucoup plus grandes, mais l'ensemble offre une certaine similitude avec l'arbre épanoui. La remontance est bonne, mais vous devez choisir entre les dernières fleurs et les nombreuses baies, produites en automne si vous ne supprimez pas les fleurs fanées.

Othello
← 90 cm →

100 cm

QUANTITÉ RECOMMANDÉE 3

COMPORTEMENT GÉNÉRAL *	PARFUM ***
LIGNÉE 'THE SQUIRE'	PARENTS 'LILIAN AUSTIN' x 'THE SQUIRE'
APPELLATION AUSLO	DATE D'INTRODUCTION 1986

COMPORTEMENT GÉNÉRAL **	PARFUM **
LIGNÉE 'ROSIER ANCIEN'	PARENTS 'THE PRIORESS' x 'MARY ROSE'
APPELLATION AUSBLOSSOM	DATE D'INTRODUCTION 1990

Perdita (ci-dessous)

Membre du groupe HERITAGE, PERDITA est plus court que HERITAGE. Son feuillage est plus sombre et il forme un buisson serré de taille moyenne. Les fleurs sont d'abord de petits boutons qui s'ouvrent en coupe, puis deviennent une rosette nette. Le bouton est rose tendre au cœur, un peu comme l'hybride de Thé 'Lady Sylvia', avec des pétales externes presque blancs. Plus tard, l'ensemble vire au rose pâle, ombré de jaune à la base des pétales. Le parfum est épicé : en 1984, Perdita a reçu la médaille Edland du parfum, à la Royal National Rose Society.

COMPORTEMENT GÉNÉRAL ***	PARFUM ***
LIGNÉE 'HERITAGE'	PARENTS 'THE FRIAR' x (SEMIS x FLORIBUNDA 'ICEBERG')
APPELLATION —	DATE D'INTRODUCTION 1983

PERDITA

Perdita
← 75 cm →

100 cm

QUANTITÉ RECOMMANDÉE 3 ou plus

PRETTY JESSICA

Pretty Jessica
← 60 cm →

75 cm

QUANTITÉ RECOMMANDÉE 1 à 3

Pretty Jessica (ci-dessus)

Voici une variété courte, compacte, qui porte des roses de vrai type «ancien», s'ouvrant en jolies coupes pour devenir d'élégantes rosettes. Le coloris est un rose clair soutenu, avec un parfum de «vieille rose» marqué. Ce rosier a bénéficié d'une grande popularité, en partie à cause de son aspect de rosier ancien, en partie parce que sa végétation courte, touffue, le rend précieux dans les tout petits jardins. Il est sensible aux maladies et perd facilement son feuillage. Si on le traite, c'est un rosier de grande classe.

COMPORTEMENT GÉNÉRAL *	PARFUM ***
LIGNÉE 'ROSIER ANCIEN'	PARENTS 'WIFE OF BATH' x SEMIS
APPELLATION —	DATE D'INTRODUCTION 1983

Prospero (à droite)

PROSPERO porte des fleurs d'une symétrie parfaite : tous les pétales sont à leur place. La forme est une rosette bombée, aux nombreux pétales courts et d'un cramoisi profond, virant, en fin de parcours, à un riche ton de pourpre. La végétation est plutôt courte et manque un peu de robustesse. Mais, avec de bons engrais et traitements, c'est un excellent petit rosier.

COMPORTEMENT GÉNÉRAL **	PARFUM ***
LIGNÉE —	PARENTS 'THE KNIGHT' x HT 'CHATEAU DE CLOS VOUGEOT'
APPELLATION —	DATE D'INTRODUCTION 1982

Prospero

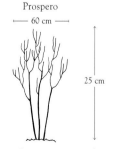

← 60 cm →

25 cm

QUANTITÉ RECOMMANDÉE 3-5

Queen Nefertiti

Excellent rosier florifère et bien remontant, QUEEN NEFERTITI est une variété robuste et fiable. Les fleurs sont moyennes, jaune tendre, en rosette. En plein soleil, elles s'ombrent de rose – tout comme l'hybride de Thé 'Mme A. Meilland' – ce qui altère leur aspect. Au mieux de leur forme, elles sont très belles mais, dans l'ensemble, cette variété n'est pas la mieux cotée des roses anglaises.

COMPORTEMENT GÉNÉRAL *	PARFUM **
LIGNÉE —	PARENTS 'LILIAN AUSTIN'x 'TAMORA'
APPELLATION AUSAP	DATE D'INTRODUCTION 1988

Redouté (ci-dessous)

C'est un sport rose tendre de l'excellent MARY ROSE, beaucoup plus soutenu. La description de MARY ROSE s'applique donc à REDOUTÉ, au coloris près. En fait, REDOUTÉ est pour moi la plus jolie des roses. C'est comme si la douceur de sa teinte altérait son tempérament entier, pour lui donner quelque chose du charme délicat d'un vieux rosier Alba. Pierre-Joseph Redouté (1759-1840) fut l'un des plus célèbres peintres de roses. Ses aquarelles comprennent quelque 170 variétés des roses du jardin de l'impératrice Joséphine, à la Malmaison.

COMPORTEMENT GÉNÉRAL ***	PARFUM *
LIGNÉE 'MARY ROSE'	PARENTS SPORT DE 'MARY ROSE'
APPELLATION AUSPALE	DATE D'INTRODUCTION 1992

Queen Nefertiti
← 75 cm →
90 cm

QUANTITÉ
RECOMMANDÉE 3

REDOUTÉ

Redouté
← 120 cm →
120 cm

QUANTITÉ
RECOMMANDÉE 1-3

St Cecilia (ci-dessus)

ST CECILIA est la rose anglaise idéale si on manque
de place, car ce rosier réussit à être court et beau
à la fois. Il porte de jolies fleurs en coupe,
bien espacées sur de larges bouquets, les tiges sont
légèrement arquées. De taille moyenne, les fleurs vont
d'un pâle abricot chamoisé au très proche du blanc,
ton d'une beauté difficile à rendre par les mots.
La combinaison du port des fleurs et de l'élégance
de végétation en fait un excellent arbuste
d'ornement. Le feuillage n'est pas très abondant
mais s'accorde fort bien au style général du rosier.
Son parfum de myrrhe est d'une puissance rare.
Il est sensible à la rouille dans certaines zones
et demande des traitements.

St Cecilia
75 cm

90 cm

QUANTITÉ RECOMMANDÉE
3 ou plus

COMPORTEMENT GÉNÉRAL ***	PARFUM ***
LIGNÉE 'WIFE OF BATH'	PARENTS 'WIFE OF BATH' x SEMIS
APPELLATION AUSMIT	DATE D'INTRODUCTION 1987

St Swithun

ST SWITHUN produit de grandes et belles fleurs en rosette légèrement creuse. Par la suite, les pétales externes se recourbent et donnent un dôme léger. La couleur est un rose tendre, plus pâle sur les bords. L'ensemble apparaît délicat et dense. Le parfum est très subtil. La végétation est moyenne, étalée et touffue, les fleurs se détachant bien du large feuillage. Le rosier est vigoureux et peu sensible aux maladies.

St Swithun (né en 852) est le patron de la cathédrale de Winchester. Suivant la légende, le temps –bon ou mauvais– du jour de sa fête, le 15 juillet, se maintient pendant quarante jours.

COMPORTEMENT GÉNÉRAL ***	PARFUM ***
LIGNÉE 'MARY ROSE'	PARENTS 'MARY ROSE' x ('CHAUCER' x RUGOSA 'CONRAD FERDINAND MEYER')
APPELLATION —	DATE D'INTRODUCTION 1993

SHARIFA ASMA

Sharifa Asma
75 cm
90 cm

QUANTITÉ RECOMMANDÉE 3

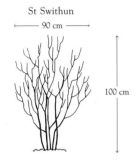

St Swithun
90 cm
100 cm

QUANTITÉ RECOMMANDÉE 3

Sharifa Asma (en haut à droite)

Voici une rose anglaise rare par sa beauté et sa délicatesse ; les fleurs souples sont la quintessence de ce que devrait être une rose ancienne, à mes yeux. Elles se disposent en rosette, rose tendre, avec une touche d'or à la base des pétales ; les pétales externes sont plus pâles. Au cœur, les pétales plus courts frisent joliment et il y a parfois une esquisse d'œil. L'ensemble de la fleur dégage une transparence singulière, très raffinée. La végétation est dense et solide et le parfum est délicieux. SHARIFA ASMA est né du croisement de MARY ROSE et d'ADMIRED MIRANDA, une des premières roses anglaises aux fleurs d'une grande beauté, mais de végétation faible (il a disparu, depuis, de notre catalogue). De ses parents, SHARIFA ASMA a retenu le meilleur.

COMPORTEMENT GÉNÉRAL ***	PARFUM ***
LIGNÉE 'WIFE OF BATH'	PARENTS 'MARY ROSE' x 'ADMIRED MIRANDA'
APPELLATION AUSREEF	DATE D'INTRODUCTION 1989

Shropshire Lass (ci-dessous)

Comme CONSTANCE SPRY, ce rosier ne fleurit
qu'en début d'été, mais s'offre alors un spectacle
magnifique. C'est la seule des roses anglaises à
avoir comme parent un rosier Alba 'Mme Legras
de St Germain', un des plus beaux rosiers anciens.
Grâce à cette parenté, SHROPSHIRE LASS a une forte
ressemblance avec un Alba, avec le même feuillage
pointu, du type *R. canina*. Les fleurs sont
délicatement lumineuses : elles sont grandes
et simples, d'un rose tendre passant vite au blanc
avec des étamines dorées. Vu sa végétation élevée,
assez érigée, SHROPSHIRE LASS demande une taille
soignée pour que les fleurs ne restent pas concentrées
au bout des tiges. Il réussit également, sinon mieux,
comme grimpant contre un mur. SHROPSHIRE LASS est
solide, fiable et très résistant aux maladies.

COMPORTEMENT GÉNÉRAL ***	PARFUM **
LIGNÉE —	PARENTS HT 'Mme BUTTERFLY' x ROSIER ALBA 'Mme LEGRAS DE ST GERMAIN'
APPELLATION —	DATE D'INTRODUCTION 1968

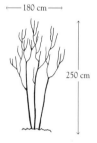

←— 180 cm —→

250 cm

QUANTITÉ RECOMMANDÉE 2

Sir Clough
← 90 cm →
150 cm

QUANTITÉ
RECOMMANDÉE 3-5

Sir Edward Elgar (ci-dessous)

La beauté de cette rose tient dans sa couleur peu banale, se situant entre un cerise et un cramoisi. Ce ton varie grandement en fonction des conditions climatiques et se magnifie par temps chaud en plein été. La fleur s'épanouit en coupe, mais se recourbe pour former un dôme net. La végétation est dressée et normalement vigoureuse, quoique peut-être un peu moins que d'ordinaire dans la lignée 'Aloha'. Le feuillage large est d'un beau vert foncé. Cette variété a été nommée en l'honneur du compositeur Sir Edward Elgar (1857-1934).

COMPORTEMENT GÉNÉRAL **	PARFUM *
LIGNÉE 'ALOHA'	PARENTS 'MARY ROSE' x 'THE SQUIRE'
APPELLATION AUSPRIMA	DATE D'INTRODUCTION 1992

Sir Clough (ci-dessus)

Résultat d'un croisement entre CHAUCER et 'Conrad Ferdinand Meyer', SIR CLOUGH forme un grand buisson avec de longues tiges aux aiguillons épars. Les fleurs sont proches d'aspect de *R. gallica officinalis*. Demi-doubles avec trois rangs de pétales, elles s'ouvrent à plat. La couleur est un rose cerise avec une boule d'étamines dorées. Sur la photographie, la fleur n'est qu'entrouverte. Le parfum, très délicat, approche de son parent Rugosa. Ce buisson assez clair demande une plantation en groupe pour un bel effet. Il tient son nom de Sir Clough Williams-Ellis (1893-1978), architecte et créateur du Portmeirion Village.

COMPORTEMENT GÉNÉRAL *	PARFUM ***
LIGNÉE —	PARENTS 'CHAUCER' x RUGOSA 'CONRAD FERDINAND MEYER'
APPELLATION —	DATE D'INTRODUCTION 1983

Sir Edward Elgar
← 60 cm →
100 cm

QUANTITÉ
RECOMMANDÉE 3 ou plus

Sir Walter Raleigh
— 100 cm —

120 cm

QUANTITÉ RECOMMANDÉE 3 ou plus

COMPORTEMENT GÉNÉRAL *	PARFUM ***
LIGNÉE 'ALOHA'	PARENTS 'LILIAN AUSTIN' x 'CHAUCER'
APPELLATION —	DATE D'INTRODUCTION 1985

Sir Walter Raleigh (à gauche)

SIR WALTER RALEIGH produit des fleurs parmi les plus grandes et les plus opulentes de toutes les roses anglaises, sans la moindre trace de lourdeur cependant. Comme chez une pivoine en arbre, les nombreux pétales s'ouvrent largement et découvrent une boule d'étamines. Le coloris est un rose doux, lumineux, et le parfum puissant est du type « vieille rose ». Malgré toutes ces qualités, ce rosier fut décevant, poussant parfois inégalement. Il faut planter cette variété par groupes. Elle se laisse attaquer par la rouille, là où cette maladie est active. Son baptême a eu lieu lors du 400ᵉ anniversaire de la fondation de la première colonie anglophone en Amérique.

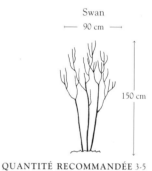

Swan
— 90 cm —

150 cm

QUANTITÉ RECOMMANDÉE 3-5

Swan

Version blanche de CLAIRE ROSE, SWAN produit comme lui des fleurs immenses en rosette plate et une végétation élevée, puissante, érigée. Le blanc des fleurs est fréquemment ombré de chamois. Tout comme pour CLAIRE ROSE, elles peuvent être superbes surtout par temps chaud et sec ; s'il pleut, elles tendent à rouiller. C'est un rosier parfait pour le fond de la bordure. Les feuilles larges, luisantes, sont de type moderne, rappelant celles d'un hybride de Thé. Le parfum est modeste.

COMPORTEMENT GÉNÉRAL *	PARFUM *
LIGNÉE 'ALOHA'	PARENTS 'CHARLES AUSTIN' x (SEMIS x FLORIBUNDA 'ICEBERG')
APPELLATION AUSWHITE	DATE D'INTRODUCTION 1987

Tamora
— 60 cm —

75 cm

QUANTITÉ
RECOMMANDÉE 3-5

Sweet Juliet

Ce rosier porte des boutons exquis s'épanouissant en rosettes abricot pur et souvent avec un «œil» central. Le parfum de thé est accusé. Le feuillage abondant et ornemental est long, effilé et élégant, d'un vert clair légèrement ombré de brun.
La végétation est dressée, presque colonnaire, et très robuste. En fait, le buisson est si vigoureux qu'il émet des pousses de toutes parts, de la base comme d'ailleurs, parfois en telle quantité que la floribondité en pâtit. Il faut du temps à cette variété pour montrer tous ses talents.

COMPORTEMENT GÉNÉRAL ***	PARFUM ***
LIGNÉE 'GLOIRE DE DIJON'	PARENTS 'GRAHAM THOMAS' x 'ADMIRED MIRANDA'
APPELLATION AUSLEAP	DATE D'INTRODUCTION 1989

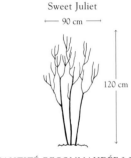

Sweet Juliet
— 90 cm —

120 cm

QUANTITÉ RECOMMANDÉE 2-3

Tamora (à gauche)

Originaire de quantité de nos meilleurs rosiers jaunes, TAMORA est né d'un de nos premiers croisements avec le Rugosa géant 'Conrad Ferdinand Meyer'. Toutefois malgré sa parenté, il forme un buisson fort court et dressé, dont les tiges florifères viennent surtout de la base. Ses inflorescences, d'un abricot délicat, sont des coupes basses et sentent vivement la myrrhe. TAMORA est utile comme variété basse pour un devant de bordure ou des petits jardins et se prête à la réalisation des massifs. Il est très résistant aux maladies.

COMPORTEMENT GÉNÉRAL **	PARFUM ***
LIGNÉE 'GLOIRE DE DIJON'	PARENTS 'CHAUCER' x RUGOSA 'CONRAD FERDINAND MEYER'
APPELLATION —	DATE D'INTRODUCTION 1983

The Alexandra Rose (ci-dessous)

D'ordinaire, on ne la range pas parmi les roses anglaises, mais j'inclus cette variété car, par le biais de son parent SHROPSHIRE LASS, c'est une descendante d'Alba, ce que sa végétation et son feuillage trahissent. Les fleurs simples sont très petites, produites en abondance longuement au cours de la saison. Leur fraîcheur et leur délicatesse les placent, à mon avis, parmi les meilleures roses simples. Le coloris est un rose cuivré à cœur jaune pâle ; le portrait est complété par les étamines légères. La végétation, robuste et saine, en fait un excellent arbuste d'ornement. La Journée Alexandra Rose est destinée à collecter des fonds pour diverses associations caritatives.

COMPORTEMENT GÉNÉRAL ***	PARFUM *
LIGNÉE —	PARENTS ('SHROPSHIRE LASS' x 'SHROPSHIRE LASS') x 'HERITAGE'
APPELLATION AUSDAY	DATE D'INTRODUCTION 1992

The Alexandra Rose

← 120 cm →

135 cm

QUANTITÉ RECOMMANDÉE 1, 3 ou plus

The Countryman

Voici l'un de mes préférés. Comme GERTRUDE JEKYLL, il est né des recroisements avec un vieux Portland. Les fleurs sont moins lourdes et plus raffinées que chez GERTRUDE JEKYLL, les pétales assez étroits contribuent à leur charme et à leur personnalité. Elles forment une rosette légèrement bombée, d'un lumineux rose clair. Le parfum de « vieille rose » est très prononcé. THE COUNTRYMAN pousse tout d'abord érigé, puis s'évase, à la façon de LILIAN AUSTIN,

pour donner un élégant buisson étalé.

Comme il ne se décide pas toujours tout seul, on peut l'encourager en coudant quelques branches maintenues par un cavalier de fil de fer fiché dans le sol. Il émet alors des latérales florifères et prend la forme d'un excellent petit buisson. Les feuilles sont longues aux folioles très dégagées comme chez les rosiers de Damas. C'est une excellente variété au type « rosier ancien » marqué.

The Countryman
— 60 cm —

90 cm
puis
100 cm

QUANTITÉ RECOMMANDÉE
3 ou plus

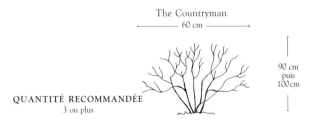

COMPORTEMENT GÉNÉRAL ***	PARFUM ***
LIGNÉE 'PORTLAND'	PARENTS 'LILIAN AUSTIN' x PORTLAND 'COMTE DE CHAMBORD'
APPELLATION AUSMAN	DATE D'INTRODUCTION 1979

The Dark Lady

THE DARK LADY produit de jolies fleurs cramoisi foncé qui, comme chez SIR WALTER RALEIGH, me rappellent toujours celles des pivoines en arbre qu'on voit sur les peintures chinoises anciennes. Ce sont de grosses roses un peu floues, s'ouvrant à plat puis se recourbant un peu. Elles sentent avec force la « vieille rose ». La végétation est moyennement vigoureuse et correspond parfaitement aux fleurs. Le buisson, habillé de feuilles sombres, s'étale. Ce rosier tire son nom de la « Dark Lady » des sonnets de Shakespeare.

The Dark Lady
← 90 cm →

90 cm

QUANTITÉ RECOMMANDÉE 3

COMPORTEMENT GÉNÉRAL ***	PARFUM ***
LIGNÉE 'THE SQUIRE'	PARENTS 'MARY ROSE' x 'PROSPERO'
APPELLATION AUSBLOOM	DATE D'INTRODUCTION 1991

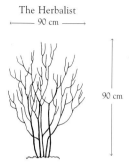

The Herbalist
← 90 cm →

90 cm

QUANTITÉ RECOMMANDÉE 2-3 ou plus

COMPORTEMENT GÉNÉRAL **	PARFUM *
LIGNÉE —	**PARENTS** SEMIS x ROSIER BOURBON 'LOUISE ODIER'
APPELLATION AUSSEMI	**DATE D'INTRODUCTION** 1991

The Herbalist (ci-dessus)

Nous avons appelé ce rosier THE HERBALIST
(l'Herboriste) en raison de sa ressemblance avec
R. gallica officinalis, connu également comme
'Apothecary's Rose' (rosier des apothicaires).
Les fleurs demi-doubles, rose foncé ou cramoisi clair,
s'ouvrent à plat et montrent leurs étamines dorées.
La végétation est assez ample, basse et touffue.
Cependant la ressemblance avec *R. gallica officinalis*
s'arrête là, car THE HERBALIST remonte par vagues
au cours de l'été. Bien que peu spectaculaires,
les fleurs sont produites en abondance et font bel
effet dans le jardin. C'est en fait un rosier idéal pour
la *mixed-border* et, comme *R. gallica officinalis,*
il forme de belles baies.

The Miller (à droite)

Issu du vieil hybride remontant 'Baroness Rothschild',
THE MILLER forme un buisson très rustique et
vigoureux, toujours épanoui. Il atteint 1,80 m, laissé
libre, mais accepte d'être contenu par la taille. Je l'ai
vu traité en haie très décorative de 1,20 m de haut.
La fleur rose clair est double, parfois presque demi-
double, et montre ses étamines en s'ouvrant. Cette
variété est une de nos premières créations et ses fleurs
n'ont pas la qualité exigée aujourd'hui; elles restent
toutefois très agréables sous leur meilleur jour.
Ce rosier, robuste et rustique, s'accommode fort bien
du bord de la mer.

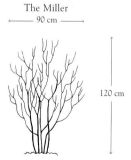

The Miller
← 90 cm →

120 cm

QUANTITÉ RECOMMANDÉE 1-3

THE
MILLER

The Nun (ci-dessous)

Bien que d'aspect modeste, THE NUN (La Nonne)
est un beau rosier. Ses fleurs, d'une taille un peu
au-dessus de la moyenne, sont d'un blanc presque pur,
en coupe très fermée, avec une masse d'étamines
au cœur. Les variétés dotées de ce type de fleur
ont souvent leurs étamines couvertes, en tout ou
en partie, par quelques pétaloïdes. Ici, elles sont
presque découvertes, pour notre plaisir.
Le port est assez évasé avec un grand feuillage
assez lâche. Les roses sont joliment disposées
en grands bouquets et s'ouvrent en série.

COMPORTEMENT GÉNÉRAL **	PARFUM*
LIGNÉE 'HERITAGE'	PARENTS 'THE PRIORESS' x SEMIS
APPELLATION —	DATE D'INTRODUCTION 1987

THE NUN

The Nun
90 cm

120 cm

QUANTITÉ RECOMMANDÉE 3

COMPORTEMENT GÉNÉRAL *	PARFUM *
LIGNÉE 'ROSIER ANCIEN'	PARENTS HYBRIDE REMONTANT 'BARONESS ROTSCHILD' x 'CHAUCER'
APPELLATION —	DATE D'INTRODUCTION 1970

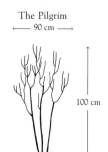

The Pilgrim
← 90 cm →

100 cm

QUANTITÉ RECOMMANDÉE 3 ou plus

The Pilgrim

Voici l'une des plus belles et des plus solides de nos roses anglaises. Souvent les tons jaunes sont assez criards et de ce fait difficiles à mettre en valeur au jardin ou à l'intérieur, rien de tel avec THE PILGRIM. Ses fleurs soyeuses sont du jaune le plus doux sur une rosette plate, pleine de courts pétales qui soulignent l'élégance de la fleur. Si le cœur est jaune tendre, les pétales extérieurs vont vers le blanc. Avec ces fleurs délicates, le rosier n'est pas moins robuste, poussant et très fleurissant. Le port est dressé, peut-être un tout petit peu trop, et les feuilles brillantes sont de type moderne.

La naissance de ce rosier ne doit rien au hasard. J'avais pensé qu'un croisement entre GRAHAM THOMAS et YELLOW BUTTON donnerait un rosier beau et solide. Cela s'avéra une union difficile, YELLOW BUTTON donnant peu de pollen et pas de graines. Ce n'est qu'en moissonnant des centaines de ses fleurs que nous avons eu assez de pollen. Les premiers résultats furent loin de combler nos espérances, mais en persévérant, nous avons vu apparaître de quoi satisfaire nos exigences. Une réussite comme THE PILGRIM valait quelques efforts.

COMPORTEMENT GÉNÉRAL ***	PARFUM **
LIGNÉE —	PARENTS 'GRAHAM THOMAS' x 'YELLOW BUTTON'
APPELLATION AUSWALKER	DATE D'INTRODUCTION 1991

The Prince
90 cm

75 cm

QUANTITÉ RECOMMANDÉE 3-5

The Prince

Les fleurs de THE PRINCE revêtent un superbe coloris, passant du plus profond cramoisi au moment de l'éclosion à un magnifique pourpre royal tout aussi profond. Cette dernière teinte est, je pense, unique chez les rosiers récents. En fait, Graham Thomas pense que c'est la première fois que ce coloris apparaît depuis 1840. C'est le type de pourpre qu'on trouve chez les vieux Gallicas, totalement différent de la nuance lilacée métallique qu'on voit aux rosiers modernes. Le parfum, comme on pouvait s'y attendre, est du type « vieille rose », soutenu. La fleur est formée en rosette parfaite, légèrement bombée en fin de parcours. Elle tient sa couleur de THE SQUIRE et sa végétation de LILIAN AUSTIN. Tout comme de nombreux enfants de ce dernier, la végétation est basse, étalée, très utile en lisière de plate-bande. Le feuillage est du type moderne. Un peu plus de vigueur ne nuirait pas à THE PRINCE (comme à beaucoup de rosiers rouges) sans être faible pour autant.

COMPORTEMENT GÉNÉRAL ***	PARFUM ***
LIGNÉE 'ALOHA'	PARENTS 'LILIAN AUSTIN' x 'THE SQUIRE'
APPELLATION AUSVELVET	DATE D'INTRODUCTION 1990

The Reeve (ci-dessous)

C'est un rosier unique, inattendu, aux fleurs globulaires, dont les pétales sont si incurvés qu'ils se rejoignent souvent au cœur. Ils se parent du rose le plus foncé qui soit. On devine, au cœur de la fleur, les étamines dorées. Le parfum de « vieille rose » est puissant. La densité du coloris de THE REEVE est mise en relief par les feuilles sombres et l'ensemble donne à la plante un éclat discret. Mais ce n'est qu'à l'avantage du rosier, particulièrement en compagnie de coloris complémentaires. Les pousses sont longues et arquées avec des aiguillons pointus.

C'est un rosier tout indiqué pour des effets de masse, où les pousses se mêlent pour faire corps. Il fait très bon effet, retombant en cascade du haut d'un muret de soutènement.

COMPORTEMENT GÉNÉRAL **	PARFUM **
LIGNÉE 'ROSIER ANCIEN'	PARENTS 'LILIAN AUSTIN' x 'CHAUCER'
APPELLATION —	DATE D'INTRODUCTION 1979

The Reeve
120 cm

100 cm

QUANTITÉ RECOMMANDÉE 3 ou plus

The Squire
← 75 cm →

90 cm

QUANTITÉ RECOMMANDÉE 3 -5

The Squire (ci-dessus)

Je ne connais aucun rosier rouge qui produise d'aussi belles roses de type ancien que THE SQUIRE. Grandes, en coupes profondes, leur cramoisi intense et profond passe peu à peu à un magnifique pourpre. Le parfum de « vieille rose » est exceptionnellement puissant. Là s'arrêtent, malheureusement, ses qualités, cette variété formant un buisson maigre, ouvert et raide, sensible, de plus au marsonia qui le dénude souvent. Ce n'est pas le résultat obtenu, je dois le dire, par tous ses cultivateurs – certains étant très contents de leurs exemplaires. Il faut en conclure que tout dépend du lieu de culture. Ceux qui sont prêts à prendre le risque et à appliquer les traitements nécessaires seront récompensés par des fleurs d'une beauté exceptionnelle. Les feuilles épaisses sont rugueuses, vert foncé et les aiguillons nombreux.

COMPORTEMENT GÉNÉRAL *	PARFUM ***
LIGNÉE 'THE SQUIRE'	PARENTS 'THE KNIGHT' x HT 'CHATEAU DE CLOS VOUGEOT'
APPELLATION —	DATE D'INTRODUCTION 1977

Troilus

Cette variété, j'en suis sûr, donnera le meilleur d'elle-même en climat chaud et sec. Sous abri, en Grande-Bretagne, elle produit de magnifiques fleurs globuleuses, grandes, miel ambré. À l'extérieur, elles sont plus serrées, petites et irrégulières. La pousse est vigoureuse, avec de longues tiges florales aux grandes feuilles. Le parfum est très doux.

COMPORTEMENT GÉNÉRAL *	PARFUM ***
LIGNÉE 'ALOHA'	PARENTS (GALLICA 'DUCHESSE DE MONTEBELLO' x 'CHAUCER') x 'CHARLES AUSTIN'
APPELLATION —	DATE D'INTRODUCTION 1983

Troilus
← 90 cm →

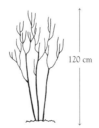

120 cm

QUANTITÉ RECOMMANDÉE 3

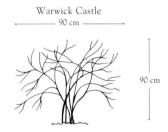

QUANTITÉ RECOMMANDÉE 3

Warwick Castle

Issu de l'union de LILIAN AUSTIN et de THE REEVE,
WARWICK CASTLE tient son port élégant de ses deux
parents. Il est mieux formé qu'eux, ses tiges arquées
donnant un dôme serré, ce qui en fait une plante
parfaite pour la lisière de bordure. La fleur est
tout aussi plaisante : d'un rose lumineux,
ses nombreux pétales bien rangés forment une rosette
bombée. Elle dégage un délicieux parfum.
C'est un excellent petit arbuste, malgré une légère
tendance au marsonia. Son nom commémore
l'ouverture en 1986 de la belle roseraie victorienne
à Warwick Castle, sur l'emplacement de celle
d'origine (conçue par Robert Marnock en 1868).

COMPORTEMENT GÉNÉRAL *	PARFUM ***
LIGNÉE —	PARENTS 'LILIAN AUSTIN' x 'THE REEVE'
APPELLATION AUSLIAN	DATE D'INTRODUCTION 1986

Wenlock (ci-dessus)

Les rosiers rouges, hybrides de Thé, roses anglaises
ou autres, sont souvent de végétation faible ;
et s'ils poussent bien, il y a peu de chances
qu'ils soient très parfumés. WENLOCK a l'avantage
d'être puissant et solide, produisant dans de bonnes
conditions de belles fleurs cramoisies à senteur
de « vieille rose » bien nette. La couleur toutefois
peut paraître un peu terne. C'est cependant
un excellent rosier à bordures, efficace et bien
remontant. Qualité supplémentaire, il possède
un très beau feuillage, large et sain.

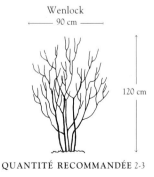

QUANTITÉ RECOMMANDÉE 2-3

COMPORTEMENT GÉNÉRAL **	PARFUM ***
LIGNÉE —	PARENTS 'THE KNIGHT' x 'GLASTONBURY'
APPELLATION —	DATE D'INTRODUCTION 1984

Wife of Bath
←— 60 cm —→

90 cm

QUANTITÉ RECOMMANDÉE 3-5

Wife of Bath

Voici une de nos premières roses anglaises.
C'est un rosier court, trapu et touffu, dont le seul
défaut est la mort subite de quelques branches.
Malgré cela, c'est une plante à peu près indestructible.
Je connais un jardin qui après avoir été abandonné
a tourné à la jungle et où le rosier a été enseveli
sous l'herbe durant deux ou trois ans. Il a survécu,
même après plusieurs passages de tondeuse, et forme
de nouveau un joli buisson.

    Les fleurs de WIFE OF BATH sont moyennes, roses,
en coupe. On peut leur reprocher leur flou, car
elles sont de forme imprécise, mais n'en gardent
pas moins leur attrait. Elles possèdent une légère
odeur de myrrhe.

COMPORTEMENT GÉNÉRAL **	PARFUM *
LIGNÉE 'WIFE OF BATH'	PARENTS HT 'MME CAROLINE TESTOUT' x (FLORIBUNDA 'MA PERKINS' x 'CONSTANCE SPRY')
APPELLATION —	DATE D'INTRODUCTION 1969

Le rosier, malheureusement, n'a pas été
à la hauteur de son illustre nom. Bien que poussant
avec grande vigueur, il a montré une sensibilité
à la rouille et au marsonia qui l'exclut du premier
rang des roses anglaises. Pour le reste, c'est
une bonne variété au riche parfum de «vieille rose».

COMPORTEMENT GÉNÉRAL *	PARFUM ***
LIGNÉE 'THE SQUIRE'	PARENTS 'THE SQUIRE' x 'MARY ROSE'
APPELLATION AUSROYAL	DATE D'INTRODUCTION 1987

Winchester Cathedral
← 120 cm →

120 cm

QUANTITÉ RECOMMANDÉE 1-3

William Shakespeare
← 90 cm →

120 cm

QUANTITÉ RECOMMANDÉE 1 ou 2

William Shakespeare

(ci-dessus)

WILLIAM SHAKESPEARE fleurit en jolies rosettes de type
Gallica, d'un riche cramoisi tournant vite au pourpre,
violet et mauve. Ces roses sont parfois un peu ternes,
mais bien souvent sont au moins égales aux plus
belles des Gallicas.

Winchester Cathedral

En tous points semblable –couleur exceptée– à MARY
ROSE dont il est un sport, WINCHESTER CATHEDRAL est
une des meilleures variétés blanches. Les fleurs,
au cœur parfois légèrement ombrées de jaune en fin
de saison, se classent juste après celles de GLAMIS
CASTLE, rosier beaucoup plus court. Il a été nommé
d'après le Winchester Cathedral Trust, pour aider
celui-ci à restaurer le monument. Pour plus de détails
sur sa vigueur et son port, voir MARY ROSE.

COMPORTEMENT GÉNÉRAL ***	PARFUM *
LIGNÉE 'MARY ROSE'	PARENTS SPORT DE 'MARY ROSE'
APPELLATION AUSCAT	DATE D'INTRODUCTION 1988

Wise Portia

Ce rosier est typique de quelques-unes
de nos premières variétés. Dans de bonnes conditions,
il produit les plus belles fleurs qui soient, dans
une glorieuse harmonie de pourpres et de mauves,
rappelant les Gallicas. Grandes, en coupe profonde,
elles sont portées par un buisson plutôt court.
Cependant, elles ont tendance à varier beaucoup
en coloris, pour être parfois un peu plus ternes,
quoique toujours belles. La végétation n'est pas
aussi puissante que chez nos dernières créations.
C'est un rosier qui mérite la culture aux yeux
de l'amateur et qui répond bien à un apport généreux
d'engrais et à des traitements fréquents.

YELLOW
BUTTON

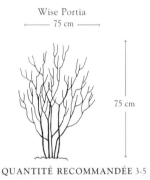

Wise Portia
75 cm

75 cm

QUANTITÉ RECOMMANDÉE 3-5

COMPORTEMENT GÉNÉRAL *	PARFUM ***
LIGNÉE —	PARENTS 'THE KNIGHT' x 'GLASTONBURY'
APPELLATION —	DATE D'INTRODUCTION 1982

Yellow Button
90 cm

90 cm

QUANTITÉ RECOMMANDÉE 2-3

Yellow Button (en haut à droite)

Une de nos premières introductions, et la première
variété jaune des roses anglaises, ce rosier est toujours
intéressant. Ses fleurs forment une belle rosette, au
coloris jaune clair parfois soutenu d'un trait de jaune
d'œuf au cœur. La végétation étalée en fait une
plante utile au premier plan de la bordure.
Le feuillage vert clair est luisant.

COMPORTEMENT GÉNÉRAL *	PARFUM **
LIGNÉE —	PARENTS 'WIFE OF BATH' x FLORIBUNDA 'CHINATOWN'
APPELLATION —	DATE D'INTRODUCTION 1975

La culture des roses anglaises

*La culture des roses anglaises demande autant de soins au jardinier que celle
des autres rosiers. On donne assez volontiers l'impression qu'il s'agit
de quelque chose de compliqué et difficile, ce qui n'est absolument pas le cas.
Vous occuper de vos rosiers vous demandera un peu de temps et de travail,
mais ne requiert aucun savoir-faire spécial. Il existe cependant
d'importants points particuliers aux roses anglaises.*

LES CONSEILS fournis dans ce chapitre sont destinés à obtenir la perfection. Si vous n'êtes pas un jardinier acharné, votre désir étant simplement que les abords de votre maison soient jolis, prenez des variétés robustes. Avec un entretien réduit, vous obtiendrez des résultats suffisants qui vous apporteront du plaisir. Toutefois, un petit effort en plus donnera des résultats nettement supérieures et encore plus de joies.

EMPLACEMENT ET PRÉPARATION DU SOL

Le choix de l'emplacement est important. La première loi est d'écarter tout endroit ayant récemment porté des rosiers ; il y couve probablement des maladies spécifiques, le sol étant certainement chargé d'orga-

'Gertrude Jekyll' est un bon modèle des variétés les plus vigoureuses de roses anglaises, avec de grandes fleurs du type ancien et un parfum particulièrement soutenu.

nismes néfastes pour les rosiers. Le plus fréquent de ces indésirables est l'anguillule du rosier, sans préjudice de l'association des autres coupables. Ces maladies et parasites peuvent persister durant longtemps et il est sage de ne pas replanter dans un lieu « sensible » avant au moins cinq ans. Cependant, beaucoup de gens ont dans leur jardin un lopin qui a toujours été consacré aux rosiers et ils ne tiennent pas au changement, ou bien c'est une roseraie, ou une bordure de rosiers qu'on souhaite simplement renouveler. Il y a toujours des solutions possibles. Les maladies sont très localisées, et si vous pouvez planter votre rosier dans une parcelle juste un peu décalée, le résultat sera satisfaisant. À défaut, retirez la terre sur 30 cm de profondeur et remplacez-la par un sol neuf, pris ailleurs dans le jardin. Dans tous les cas, apportez une bonne dose d'humus sous forme de fumier ou de terreau de compostage. Ces apports favorisent la flore bactérienne dans le sol, et l'équilibre entre les micro-organismes néfastes et utiles sera rétabli.

Pour replanter en rosiers une grande surface, on peut envisager la stérilisation du sol par injection. L'outillage et les produits chimiques nécessaires ne sont pas recommandés à l'usage de l'amateur et le travail doit être exécuté par un professionnel. La plupart des entreprises de jardin s'en chargent.

Une autre cause d'échec, pour les roses anglaises comme pour tous les autres rosiers remontants, vient de la concurrence des racines d'arbres, haies et arbustes voisins. Ces rosiers ont besoin de place libre à leur pied pour collecter les nutriments et l'eau nécessaires à leur végétation.

Les roses anglaises s'accommodent de toute bonne terre de jardin. Avant la plantation, enfouissez toujours de bonnes doses de fumier, compost, terreau de feuilles ou autres apports humiques, tels que les jardineries en proposent sous diverses appellations ; les effets s'en feront sentir. Les ancêtres de nombre de rosiers horticoles étaient des arbustes prospères dans des sols humifères. Je suis sûre que l'obtention de très beaux rosiers tient à cela.

Les sols calcaires, crayeux ou très maigres présentent un vrai problème qu'il est possible de surmonter. Là encore, la solution tient dans de généreux apports d'humus souvent bénéfiques ailleurs mais indispensables ici. Il est rentable également d'emplir la fosse de plantation d'un substrat de culture de qualité, acheté dans une jardinerie. Vous pouvez le préparer de vos mains, en mêlant de la bonne terre et du fumier bien mûr. Il y a peu de chance de dépasser la dose d'humus à donner aux roses anglaises car, comme je l'ai déjà noté, pour bien refleurir, tous les rosiers remontants en sont gourmands.

Les rosiers apprécient un sol un peu acide, environ 6,5 de pH. Plus acide, le sol recevra, en surface, un peu de chaux, mais sans excès. Un lit de tourbe, à l'inverse, augmentera l'acidité, tout comme le terreau de feuilles. Le drainage est également important, les rosiers n'aimant pas voir leurs racines tremper dans l'eau. Évitez donc les zones trop humides.

Tous les rosiers aiment le soleil et en aucun cas ne supportent plus qu'une ombre légère, le matin ou en fin de journée. Dites-vous bien que toute augmentation de cette ombre se traduira par une diminution proportionnelle de la floraison.

PLANTATION

Étalez bien les racines des rosiers, dans des trous suffisamment larges et profonds, en plaçant le point de jonction des racines et des branches vertes – c'est le niveau de la greffe – au ras du sol. Au moment de la plantation, la terre doit être fraîche, mais non trempée. Dans ce dernier cas, il y a un risque pour qu'elle se compacte en une masse asphyxiée qui gênera la croissance des racines. Utilisez alors un mélange tout prêt, que vous placerez contre les racines. Dans cette couche douillette, de nombreuses radicelles ne manqueront pas de s'ancrer rapidement, assurant une reprise vigoureuse. À défaut, servez-vous d'un sol plus sec récolté au pied des murs, par exemple, additionné d'un peu de tourbe. Tassez légèrement le tout pour que le rosier soit bien ancré, sans faire du béton pour autant.

J'insiste de nouveau ici sur l'importance qu'il y a à planter les roses anglaises, comme les autres remontants, en groupes de deux ou trois par variété. Installez vos sujets assez près les uns des autres – à 50 cm d'écart pas plus – pour qu'ils s'associent en une masse de végétation. En une saison ou deux, vous donnerez l'illusion d'avoir un seul buisson, très épais. Vous obtiendrez ainsi une densité de fleurs merveilleuses et l'effet sera très supérieur à celui d'une plante isolée.

TAILLE

Il n'y a pas de loi universelle pour la taille des divers rosiers buissons, comme il y en a pour les hybrides de Thé et les Floribundas. C'est que ces arbustes ont des ports extrêmement variés ; certains sont très bas, d'autres très grands. Toutefois le problème se simplifie un peu pour les roses anglaises.

Pour elles, le mieux est de tailler en début d'hiver, fin novembre ou décembre. Elles peuvent ainsi rejeter plus tôt, d'où une floraison plus hâtive et une saison plus longue. Rien n'est plus décevant que voir une belle série de pousses tardives fauchées par l'apparition des gelées. Ce peut être facilement le cas avec les roses anglaises, mais la taille précoce semble avancer toute la saison et la dernière vague de fleurs arrive donc à temps. Nombre de jardiniers estiment qu'une taille à cette

PLANTATION EN GROUPE

Pour obtenir le meilleur effet avec les roses anglaises, je conseille vivement d'installer plusieurs plantes de la même variété en groupe serré. Les arbustes se mêlent pour donner un seul buisson vigoureux et florifère.

Ci-dessus. Plantez par groupes de trois ou cinq, les nombres impairs donnant un air plus naturel. Rapprochez les sujets plus qu'à l'ordinaire : 50 cm conviennent parfaitement.
À droite. Les plantes se mêlent rapidement.

L'ARCURE DES ROSIERS

Pour inciter les roses anglaises à former un buisson étalé, florifère, attachez les tiges à un cadre posé à 45 cm du sol environ. Le rosier donnera des fleurs tout le long des tiges. Les variétés utilisables sont : 'English Elegance', 'Golden Celebration', 'Abraham Darby', 'Jayne Austin' et 'Cymbeline'.

LE COUCHAGE DES ROSIERS

Il y a cent cinquante ans, on utilisait beaucoup le couchage sur les hybrides remontants, en plaçant les tiges sur le sol à l'aide de cavaliers en fil de fer. Comme avec le cadre, le rosier est incité à émettre des pousses tout le long des tiges. Les roses anglaises assez souples pour s'y prêter sont 'Charmian', 'Lilian Austin', 'Lucetta' et 'The Reeve'.

époque expose les nouvelles pousses aux gelées mais, d'après mon expérience, le mal est rarement grand.

Les roses anglaises ayant un mode de végétation très variable, il est malaisé de donner des instructions générales de taille. Notre conseil d'ensemble est que si vous voulez des plantes trapues à grosses fleurs, il faut retirer la moitié des tiges en hauteur. Si vous souhaitez un buisson plus haut et plus florifère un tiers suffit. Dans la taille courte, toute la puissance de l'arbuste se concentre sur moins de fleurs, qui se trouvent plus grandes et plus belles. Ce n'est là qu'une loi approximative, qui doit être modulée en fonction de la nature de la variété et de l'emploi qui lui est assigné : grand arbuste, buisson large, etc. Supprimez toutes les pousses faibles, malingres, qui ne produiront que peu de fleurs. De même, éliminez toute tige malade ou abîmée. Au bout de quelques années, le plus vieux bois peut être recépé à la base pour laisser place aux branches plus jeunes.

Mieux vaut se rappeler que la taille est autant affaire de goût que de technique. Certains jardiniers professionnels veulent voir leurs rosiers rabattus, bien nets, bien propres après la taille. Ce n'est pas toujours souhaitable. Pensez bien à l'aspect final qu'aura la plante une fois développée dans l'été suivant. Rien ne vous oblige à rester confiné dans les lois que j'ai énoncé jusqu'à présent. Elles sont faites pour être enfreintes quand il le faut. Attachez-vous à donner à votre rosier un port intéressant, bien formé, buissonnant, retombant ou autre. N'hésitez pas à laisser des branches si cela doit améliorer l'aspect général de l'arbuste. Ce qui ne veut pas dire que la taille est secondaire : sans elle la plante ne produit pas de fleurs de qualité et remonte inégalement.

Dans les premiers temps de la vie de l'arbuste, le but sera d'établir sa charpente en éliminant les branchettes faibles pour ne laisser que des tiges vigoureuses sur lesquelles se bâtira la silhouette. C'est particulièrement important pour des rosiers comme 'Graham Thomas', 'Heritage', 'Brother Cadfael', 'Lucetta' et 'Abraham Darby', entre autres. Ils deviendront nettement plus élégants si la charpente a été bien construite au départ.

Pour les plantes adultes, tout dépend du type de végétation de la variété. 'English Elegance', 'The Reeve', 'Lilian Austin', 'Bibi Maizoon', 'Lucetta' et 'Cymbeline' ont un port élégant, arqué et mieux vaut éviter de retirer trop de bois sur ces rosiers, pour ne pas les défigurer. Mais, aussi, ne les laissez pas devenir trop grands et désordonnés. Dans certains cas des indications de taille sont fournies avec la description de chaque variété. Laissez monter les rosiers érigés, serrés, tels 'Financial Times Centenary', 'Charles Austin' et 'Claire Rose', s'ils se trouvent à l'arrière d'une plate-bande ; plus à l'avant, taillez-les court pour éviter qu'ils ne deviennent dégingandés. Les variétés denses, branchues, grandes ou petites, peuvent être encore étoffées, mais en même temps, mieux vaut supprimer les pousses faibles pour éviter les petites fleurs. 'Sweet Juliet' et 'Jayne Austin' se distinguent en ce qu'ils poussent tellement que l'arbuste n'arrive pas à faire face et que certaines tiges refusent de fleurir. Dans ces cas-là, le plus efficace est de limiter la végétation en retirant des latérales ou des branches entières, au moment de l'année où elles ont juste achevé leur pousse, mais pas encore accumulé de réserves (fin juin, en général).

Tailler les roses anglaises avec art, par conséquent, est avant tout un moyen terme entre la qualité des fleurs d'une part, la grâce et la silhouette de l'arbuste, d'autre part. En général, une taille sévère favorise l'une, une taille légère les autres. Inutile de vous faire trop de souci à ce sujet : voyez la taille comme une intéressante expérience pour voir quel effet on peut obtenir. À l'usage, vous acquerrez de la sûreté et de la maîtrise.

Il faut aussi parler d'une autre technique de taille. Certaines des roses anglaises les plus courtes font d'excellents massifs. Pour cet usage, taillez-les comme des hybrides de Thé : coupez à 12 ou 15 cm du sol pour obtenir une pousse uniforme sur tout le massif. Avec quelques-unes, plus élevées, en grands massifs, vous pouvez être moins sévère, suivant la hauteur finale désirée. Les pousses faibles ou âgées sont supprimées, là comme ailleurs.

ENTRETIEN GÉNÉRAL

Une fois les rosiers taillés, béquillez le sol à la fourche et épandez un lit de fumier de ferme ou autre forme d'humus autour des arbustes. Ce n'est pas obligatoire la première année, quand les vastes apports de base sont

TAILLE DES ROSES ANGLAISES

Le chapitre « les variétés de roses anglaises » classe leur végétation en quatre formes : étalée, arquée, buissonnante ou érigée. Ces notes donnent des conseils généraux sur la taille de chaque forme. Le mieux est d'agir au début de l'hiver (voir page 146).

TAILLE DES FORMES ÉTALÉES

Retirez environ un tiers de la longueur de chaque tige, en taillant juste au-dessus d'un bourgeon tourné vers l'extérieur. Veillez à maintenir l'ampleur et l'étalement naturels de la plante.

TAILLE DES FORMES ARQUÉES

Taillez légèrement pour conserver le plus possible hauteur et largeur de ces formes. Rabattez les tiges d'un cinquième à un quart, sur un bourgeon.

TAILLE DES FORMES BUISSONNANTES

Favorisez l'épaississement du rosier en enlevant un tiers de chaque tige, en rabattant toujours sur un œil ; en démarrant, ces yeux vont fournir une masse de tiges à fleurs. Retirez toutes les tiges faibles.

TAILLE DES FORMES ÉRIGÉES

Ces formes tolèrent une taille sévère qui leur évite d'être dégingandées. Rabattez-les de moitié environ, toujours sur un œil tourné vers l'extérieur.

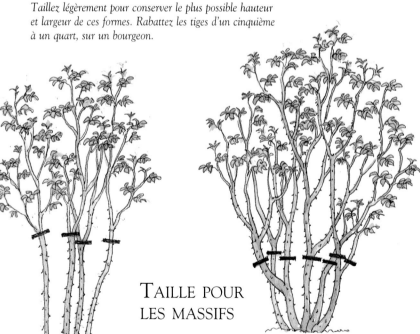

TAILLE POUR LES MASSIFS

Les roses anglaises cultivées en massifs sont taillées comme des hybrides de Thé : coupez chaque tige sur un bourgeon tourné vers l'extérieur, et à 15 cm du sol environ.

encore là. Mais par la suite, vous pouvez être certain que ces amendements sont très bénéfiques. Non seulement ils nourrissent la plante, mais ils gardent l'humidité tout en maintenant le sol souple et léger, perméable à l'air comme à la pluie.

Au printemps, quand la végétation démarre, apportez un peu d'engrais pour rosiers. Agissez une deuxième fois quand la floraison bat son plein, pour favoriser la remontance.

Sans eau, la nourriture ne sert à rien. Ce n'est qu'elle qui peut apporter aux plantes les divers éléments nécessaires à leur croissance. Même dans des climats comme celui de la Grande-Bretagne, il y a rarement assez de pluie au cours de l'été. Des apports d'eau complémentaires, qui trempent bien le sol à chaque fois, seront extrêmement bienvenus. En climats plus secs, l'irrigation méthodique est vitale.

NETTOYAGE

Autant que possible la suppression des fleurs est conseillée. Non seulement la plante est plus propre, mais la repousse est favorisée. Certaines variétés, telles que 'Peach Blossom', produiront des masses de baies, si vous laissez les fleurs fanées. Mais une fois qu'il se consacre à ses fruits, le rosier cesse de produire pousses et fleurs, et si beaux que soient ces fruits, vous devrez décider vite si vous voulez les garder ou si vous voulez d'autres fleurs. Vous pouvez vous épargner ce cruel dilemme, toutefois, en plantant tout simplement un peu plus de sujets que nécessaire, et en ne nettoyant qu'une partie d'entre eux. Le nettoyage est effectué au sécateur bien affûté, dès la fanaison.

MALADIES
ET
PARASITES

Les rosiers sont sensibles à peu de maladies, mais celles qui les atteignent sont sévères. Les roses anglaises ne font pas exception, même si certaines variétés sont plus résistantes que d'autres. Les trois principales maladies sont l'oïdium, la rouille et le marsonia (les taches noires), ce dernier étant le pire. L'oïdium, pas trop problématique, est facile à combattre et la rouille, un peu plus coriace, n'est pas trop répandue. Comme toujours, mieux vaut prévenir que guérir. Une fois la taille achevée, ratissez le plus possible de feuilles mortes, qui peuvent héberger des spores dormants de maladies de l'an passé, et brûlez-les, le compostage ne détruisant pas ces germes néfastes à coup sûr.

Dès le démarrage de la végétation, on recommande de traiter à intervalles de trois à quatre semaines. Vous pouvez utilisez un fongicide universel sur le marsonia et l'oïdium, d'autres sur le couple rouille-oïdium. Quel que soit le produit choisi, il n'est pas utile de traiter aussi souvent qu'on le dit. En agissant dès les premiers symptômes – avec un éventuel second tour – vous obtiendrez une protection efficace et vous ne renouvellerez qu'en cas de récidive. L'important est de ne pas laisser la maladie s'installer. La densité de rosiers dans une même zone a son importance. Un jardin plein de rosiers sera évidemment plus sujet aux attaques. S'il n'y a que quelques touffes, bien espacées, le risque est moins élevé et les traitements seront rares, voire inutiles.

Les insectes qui vivent en parasites sur les rosiers sont plus faciles à combattre. Les plus ennuyeux sont les pucerons. Un produit systémique à vaporiser permettra de s'en débarrasser. Tous les produits et traitements sont disponibles chez les grainetiers et dans les jardineries. Respectez à la lettre leurs mode et conditions d'emploi.

POTS
ET BACS

Les roses anglaises, cultivées en pots, vasques, et autres contenants, donnent de très bons résultats moyennant quelques soins supplémentaires dans la préparation du sol et l'entretien. Tout d'abord, choisissez un contenant aussi grand que possible : pas moins de 40 cm de diamètre et de 25 cm de profondeur. Assurez-vous également qu'il est percé au fond pour permettre le drainage.

Le substrat devra être à la fois riche et bien drainant. Entièrement constitué de tourbe enrichie – comme on en utilise pour les décorations temporaires – il ne peut

Buissonnant et vigoureux, produisant généreusement des moissons de fleurs, 'Mary Rose' est à la fois un bon modèle de roses anglaises et un arbuste d'ornement de premier plan.

convenir aux rosiers, qui doivent y vivre de nombreuses années. La tourbe s'épuise rapidement et ne peut plus nourrir l'arbuste. Servez-vous plutôt d'un mélange-maison de deux parts de terre pour une de tourbe et une de fumier en ajoutant un bon engrais de fond à la dose indiquée. L'entretien général rejoint celui recommandé pour les rosiers en pleine terre avec les deux particularités suivantes.

Tout d'abord, rappelez-vous bien que les rosiers en pots sont entièrement à la merci des arrosages que vous leur dispenserez. La pluie ne mouillera la terre que superficiellement et les pots doivent être gardés frais en permanence par vos bons soins, sans toutefois les inonder pour autant.

Ensuite, les rosiers épuisent rapidement la nourriture du sol et demandent des apports d'engrais réguliers. Pour l'emploi de ces engrais, mieux vaut se fonder sur le mode de végétation du rosier que suivre à la lettre les instructions du fabricant. Les engrais aident la plante à pousser régulièrement et à produire un beau feuillage sombre ; un excès donnera des plantes lourdes. Vous pouvez commencer par suivre les instructions, dans un premier temps, pour les adapter ensuite à la végétation du rosier.

Il arrive un moment, au bout de deux ou trois ans, où le rosier est à l'étroit, où la terre a diminué et s'est tassée par suite des arrosages. Il faut alors enlever du pot le rosier avec sa motte et le replanter, dans le même pot ou dans un autre. Pour ce faire, retirez le maximum de terre usée et replacez l'arbuste en comblant avec un sol neuf et riche.

Les roses anglaises cultivées à l'abri reçoivent approximativement le même traitement que ci-dessus. La taille a lieu en automne, puis il vaut mieux faire observer une période de repos en les laissant dehors pendant quelques semaines. Durant le reste de l'année l'arrosage sous abri est primordial : une sécheresse, même courte, serait fatale au rosier.

RÉSUMÉ

Les points capitaux de la culture des roses anglaises au jardin peuvent être résumés comme suit.

1 Avant la plantation, incorporez au sol une bonne dose de fumier de ferme ou d'humus.

2 Plantez par groupes de deux, trois ou plus de la même variété, pour avoir un effet dense.

3 En début d'hiver, rabattez les tiges de la moitié aux trois quarts en supprimant les pousses faibles.

4 Paillez chaque année ou tous les deux ans avec du fumier ou de l'humus. Deux fois l'an, apportez un nouvel engrais pour rosiers.

5 Traitez dès les premiers signes de maladies et recommencez jusqu'à disparition.

6 Pensez que les rosiers cotés *** à la rubrique Comportement général (pages 78 à 143) sont les plus faciles à cultiver.

Si vous suivez ces conseils généraux, avec une bonne dose de sens commun, l'entretien de vos roses anglaises ne posera guère de problèmes. Bien soignées, elles vous récompenseront durant des années.

LA NAISSANCE D'UNE ROSE

*On me demande souvent comment naît un rosier. Pour beaucoup de gens,
le processus de l'hybridation semble quelque chose de vaguement magique, comme
s'il s'agissait d'alchimie. La réalité, bien entendu, est beaucoup plus prosaïque
mais, même après une vie passée à croiser des rosiers,
le sujet me fascine toujours.*

LE NÉOPHYTE doit savoir que la plupart des rosiers nouveaux sont nés du transport de pollen d'une variété à une autre, processus que l'on nomme « l'hybridation ». Les graines qui découlent de cette fertilisation croisée sont semées pour donner naissance à toute une gamme de jeunes plants, chacun étant unique. Les meilleurs d'entre eux sont sélectionnés et deviennent de nouveaux rosiers. Ce bref résumé donne l'impression qu'on peut créer une nouvelle variété de roses anglaises tous les jours, ce qui est vrai... en théorie. Mais seule une chance extraordinaire fera que les résultats seront beaux, dans ce cas. C'est en fait un complexe exercice d'élimination et de sélection demandant de la réflexion, de la patience et de la ténacité.

Le processus complet, qui nécessite huit ans ou plus, débute par la réflexion : on ne fait pas grand-chose sans une idée précise de ce que l'on recherche. Je passe la plupart de mes soirées d'hiver à concevoir les croisements que j'effectuerai durant l'été suivant, travail long

L'examen minutieux de chaque nouveau semis (à gauche) est vital dans le processus d'hybridation et de sélection. L'observation et le jugement se poursuivent au fil des années de la croissance.

et difficile, les combinaisons possibles étant infinies. Il importe de pouvoir imaginer les résultats qu'on attend d'un croisement. On utilise pour cela l'expérience passée sur le terrain. Au fil des ans, on apprend que des rosiers précis lèguent volontiers des caractères spécifiques ; faute de cette connaissance, il faut parier sur la chance pour voir apparaître un rosier remarquable. En clair, une réflexion aboutie et une bonne part de chance jouent chacune un rôle.

Chez nous, l'hybridation est menée dans une grande serre où quelque 1 500 rosiers sont destinés à cet usage. La serre les abrite de la pluie, qui peut entraver la fertilisation. Elle assure également la maturité des fruits qui, au cours de nos étés relativement courts et frais, serait compromise à l'extérieur. Les croisements sont effectués en mai par huit membres de l'équipe, un peu moins par temps frais quand les fleurs paressent à s'ouvrir.

La pollinisation, pour toutes les fleurs, implique le transport des grains de pollen produit par les étamines (partie mâle des fleurs) sur le pistil (voir page 155). Les insectes ou le vent servent de vecteurs. Arrivés là, les graines germent, descendent le long d'un tube, pénètrent l'ovaire de la fleur. Un noyau de pollen s'unit au noyau d'un ovule. L'œuf fertile ainsi formé se divise et devient un embryon, l'ovule devenant la graine qui l'entoure et le protège. La base de la fleur gonfle et devient fruit, dont le rôle est d'assurer la dispersion des graines en s'offrant en proie aux animaux.

L'hybridateur jouera avec ces phénomènes pour obtenir de nouvelles variétés. On retire d'abord les étamines des parents choisis comme porte-graines la veille du croisement, pour éviter une autopollinisation (et donc une autofertilisation). Au même moment, les étamines des roses retenues comme mâles sont prélevées et placées en coupelles, bien étiquetées. On les y laisse éclater et répandre leur pollen, qui est alors reporté sur le pistil du parent femelle. Cette pollinisation croisée « dirigée », si tout va bien, deviendra alors une fructueuse fertilisation croisée. Le croisement est indiqué sur une étiquette posée sur la plante et noté dans un carnet.

Peu après, les fruits commencent à grossir et, vers septembre, ils sont mûrs et prêts pour la cueillette. Les graines sont retirées et emmagasinées au froid pour leur offrir un hiver artificiel. Vers janvier, elles sont bonnes à semer dans une serre de multiplication. On les place en caissettes, où elles germent en quelques semaines pour une large majorité. Le pourcentage de levées est relativement bas, certaines ne germeront que l'année

Quand les plantules d'un an s'épanouissent dans la serre, je signale à l'aide d'un tuteur celles qui méritent d'être écussonnées et cultivées en plein air.

suivante ou… pas du tout, car elles ne sont pas toutes fécondes, ce qu'on ne peut voir à la récolte. La germination est induite par la température et cesse dès que les journées deviennent chaudes. C'est très logique : l'année est alors trop avancée pour que les plantes se développent avant l'arrivée des froids et la nature donne le coup d'arrêt.

LES SEMIS

Quand les plantules sont encore toutes petites, on les transfère à une grande serre que nous appelons « la serre à semis ». On les y installe en planches, dans un mélange tourbeux, à 8 cm d'écart environ. Elles démarrent bientôt et, en douze semaines, certaines donnent déjà des fleurs ; d'autres prennent plus longtemps. C'est là que les choses deviennent intéressantes, qu'on peut faire les premières sélections. Chaque croisement engendre des fleurs très variées dans lesquelles nous faisons notre choix. Il est facile d'imaginer notre excitation en voyant pour la première fois des milliers de semis, hauts de quelques centimètres, porteur d'une petite fleur. Malgré tous les calculs, il est impossible de prévoir les résultats : le prochain semis est peut-être celui que nous attendons. Une observation quotidienne est nécessaire afin de ne rien omettre.

J'ai pour usage de planter un tuteur au ras de chaque semis prometteur ; ceux qui n'offrent pas grand-chose

Ces coupelles soigneusement étiquetées contiennent les étamines des parents pollinisateurs. Elles s'ouvriront en quelques heures et libéreront le pollen utilisé le lendemain pour le croisement.

UNE ROSE ANGLAISE

'EVELYN'

PÉTALES

ÉTAMINES

SÉPALE

ANTHÈRE

PISTIL

OVULE

Nouveautés en fleurs dans nos champs d'essais. Elles seront étudiées là durant six années de plus avant que les lauréates ne soient finalement mises au commerce.

ou rien du tout sont arrachés et détruits. Les fleurs montrent, en réduction, ce qu'elles seront plus tard. Presque toutes sont déjà belles et certaines sont plus belles qu'elles ne seront jamais. L'environnement protecteur de la serre y est pour beaucoup, mais leur taille réduite compte aussi dans leur charme.

Les roses anglaises, ayant des fleurs doubles, produisent peu de graines. Pour pallier ce manque, nous devons faire beaucoup plus de croisements que pour obtenir des hybrides de Thé, par exemple. Dans une année normale, nous hybridons 30 000 fleurs pour réussir à avoir environ 50 000 semis (ce qui est peu). Nous ne retiendrons que 2 000 des plus prometteurs à la première floraison et ceux-ci passeront à l'étape suivante.

MULTIPLICATION ET SÉLECTION AFFINÉE

À ce stade, deux ans auront passé et chacun des semis sélectionné est transféré aux champs d'essai, en plein air. Un seul sujet ne nous suffisant pas, nous multiplions chaque semis en l'«écussonnant» sur de bons porte-greffes. L'écussonnage est une technique très répandue. Vers le milieu de l'été qui suit la première floraison, nous retirons les tiges florales des rosiers

retenus. Sur chacune, nous levons les plus beaux bourgeons, en les détachant du bois avec un «talon» de 2,5 cm environ. Ils forment alors les «greffons». Le porte-greffe est préparé en entaillant et soulevant l'écorce à la base d'une tige vigoureuse. On y insère le greffon et on ligature le tout. Greffon et porte-greffe sont maintenant solidarisés et la variété sélectionnée se développe à partir du bourgeon greffé.

Avec cette méthode, nous pouvons obtenir six plantes à partir d'un semis. Dans l'année qui suit, les jeunes plants forment des arbustes et une sélection plus précise peut avoir lieu, car ce n'est qu'en culture de plein air qu'on peut juger les qualités d'un rosier.

Au cours de trois étés, les plantes sont régulièrement notées. Je m'attache à l'aspect esthétique de chaque fleur, d'autres techniciens s'attachent aux qualités pratiques comme la santé, la bonne remontance, etc. Chaque croisement a sa fiche où l'on reporte les observations, car il est impossible de tout garder en mémoire. Les parfums sont également testés et classés suivant leur catégorie, leur force et leur qualité. Je fais moi-même durant les premières années, de copieux commentaires sur toutes les variétés prometteuses, pour établir peu à peu un portrait de chaque rosier, au fur et à mesure de sa croissance. Songez bien qu'un rosier doit être beau non seulement une fois, mais chaque année, par beau temps comme par mauvais temps, en début comme en fin de saison. Pour découvrir la beauté et les qualités d'un rosier, il faut lui laisser du temps pour montrer tout ce qu'il sait faire. Les fleurs sont assez faciles à juger, mais la végétation demande longtemps et doit être analysée à chaque étape.

Les choses se compliquent durant cette période et, avec l'apparition des défauts, la sélection se fait plus sévère. Des rosiers d'une exceptionnelle beauté peuvent se montrer très sensibles aux maladies, ou ne fleurir qu'une fois par an, en refusant absolument de remonter. Peu à peu, les bons sujets commencent à montrer leurs talents. En fait, ils sont souvent si évidents qu'on les remarque déjà dans les champs d'essai.

Enfin, après mûre réflexion et un choix sévère, quelque 2 000 rosiers, sur les 50 000 semis de départ, sont transférés à la zone de multiplication. Chaque rosier est une nouvelle variété en puissance. Nous écussonnons chacun de nouveau pour en obtenir environ quatre-vingts. Ils subissent encore deux ou trois années d'examens à la loupe, avec des tests réguliers de leurs vigueur, beauté et autres caractères, comme auparavant. Au bout de cette longue période, nous pouvons espérer obtenir cinq à six rosiers possibles comme nouveautés à mettre au commerce.

LES VARIÉTÉS SÉLECTIONNÉES

Les nouvelles variétés sont maintenant prêtes à être propagées à grande échelle. Nous produisons d'abord 500 plants de chaque rosier, pour passer l'année suivante à 3 000 ou 5 000 en nous félicitant du bon caractère des rosiers, qui fournissent généreusement un abondant matériel – les bourgeons – de reproduction. Songer que les courageux obtenteurs de pivoines, par exemple, ne disposent que de l'éclatage de touffes pour propager leurs nouveautés. Nous disposons alors d'assez de réserves pour élever les rosiers commercialement dans nos champs et les distribuer à nos clients.

Du matériel de multiplication, sous forme de greffons, est également envoyé à quelque quatre-vingts éleveurs britanniques, habitués à distribuer au moins quelques-unes de nos nouveautés pour leurs clients. Il en va de même pour nos représentants en Europe, aux États-Unis, Australie et Nouvelle-Zélande. Ceux-ci peuvent ainsi diffuser nos variétés et tester dans leurs propres champs d'essais la compatibilité avec le climat local, les sols dont ils disposent et… les goûts de leur clientèle ! Nombre de pépiniéristes visitent notre établissement chaque année, pour avoir la primeur des nouveautés. Nous-mêmes partons pour l'étranger afin d'y juger le comportement de nos produits pour en tenir compte dans nos futurs programmes d'hybridation.

Nos nouveautés sont présentées chaque année au Chelsea Flower Show, le plus grand événement horticole de Grande-Bretagne. Quand approche le mois de mai, je dois baptiser ces créations, tâche plaisante, bien que parfois malaisée. Le nom importe beaucoup car il compte dans la popularité d'un rosier en devenant rapidement un de ses caractères. Nous aimons donner souvent des noms à consonances historiques: 'Sir Walter Raleigh', 'Warwick Castle' et 'Mary Rose', par exemple. Ou bien nous puisons dans la littérature :

Shakespeare et Chaucer nous ont fourni nos meilleures idées avec 'Wife of Bath', 'Perdita' et 'Prospero'. Ces noms ont, dans les pays de langue anglaise, du moins, un pouvoir évocateur immédiat perceptible par le public, et qui convient fort bien à nos rosiers. Parfois, nous lions le nom à celui d'une entreprise ou d'une revue et nous avons décidé d'en consacrer un par an à une œuvre humanitaire, qui touche une part des droits. En 1992, c'était 'The Alexandra Rose'. Quelle qu'en soit la provenance, je suis toujours à l'affût des noms évocateurs et sonnant bien et toutes les suggestions sont alors bienvenues.

On déduira de mon récit qu'entre l'hybridation, la sélection, l'élevage, les essais et la mise au commerce, il ne faut pas moins de huit ans. Les gens sont souvent ébahis de voir la patience que cela implique, mais chaque année apporte quelque chose de nouveau pour soutenir l'intérêt. Au bout des huit ans de probation, par le biais d'une attentive fréquentation quotidienne, nos sélections sont devenues de vieilles amies, dont nous pensons tout connaître, leurs qualités comme leurs défauts. Comme avec les gens, nous savons qu'aucune n'est parfaite, peut-être, mais elles sont toujours belles, c'est mon unique – mais rassurante – certitude. N'est-ce pas l'essentiel pour un rosiériste ?

Les coupes basses de 'Cottage Rose' sont d'un rose pur et lumineux. C'est un rosier parfait au jardin et au caractère « ancien » marqué, deux traits primordiaux dans notre recherche.

INDEX

OÙ ACHETER DES ROSES ANGLAISES

Les pépinières et jardineries suivantes sont les principaux distributeurs de roses anglaises en Europe et dans les pays de langue française. Elles disposent en plus généralement d'un grand choix de rosiers anciens et de rosiers buissons.

EN FRANCE

Pépinière et Paysages Rhône-Alpes
3549 Route de Paris
01440 Viriat
Tél. : 74.25.36.55

Georges Delbard
Malicorne
03600 Commentry
Tél. : 70.64.33.34

Toutes les jardineries Delbard

AUXERRE (Yonne)
42, avenue de la Paix
89000 Saint-Georges-sur-Baulche
Tél. : 86.48.15.01

BEAUVAIS (Oise)
Z.I.
60000 Saint-Lazare-Montaigne
Tél. : 44.02.10.80

CAEN (Calvados)
Jardinerie de Bénouville
Route de Caen Car Ferry
14970 Bénouville
Tél. : 31.44.02.18

CHELLES (Seine-et-Marne)
R.N. 34 (près Leroy-Merlin)
77500 Chelles
Tél. : 60.08.94.00

COMPIÈGNE (Oise)
ZAC des Mercières
Rue du Fonds-Pernant
60471 Compiègne
Tél. : 44.23.29.30

DREUX (Eure-et-Loire)
Centre commercial Plein Sud
28500 Vernouillet
Tél. : 37.46.06.18

ÉVRY (Essonne)
Ville ancienne
35, Bld Decauville
91000 Évry
Tél. : 60.77.86.70

FLINS-SUR-SEINE (Yvelines)
CD 14 (face Euromarché)
78410 Aubergenville
Tél. : 30.91.09.30

LE MANS (Sarthe)
Route de la Suze
72700 Allonnes
Tél. : 43.80.54.48

MALICORNE (Allier)
03620 près Commentry
Tél. : 70.64.50.26

PARIS 1er
16, quai de la Mégisserie
Tél. : 42.36.45.01

RUEIL-MALMAISON (Hauts-de-Seine)
R.N. 13 (face La Malmaison)
92500 Rueil-Malmaison
Tél. : 47.08.62.60

À L'ÉTRANGER

ROYAUME-UNI

David Austin Roses
Bowling Green Lane
Albrighton
Wolverhampton WV7 3HB

ALLEMAGNE

Ingwer J. Jensen
Rosenschule
AM Scholobpark 26
2392 Glucksburg

CANADA

Hortico Inc.
Robson Road R.R. 1
Waterdown
Ontario LOR 2HO

HOLLANDE

Kwekerij't Hulder (vente en gros)
5821 EE Vierlingsbeek
Overloonseweg 11a

De Wilde Bussum (vente au détail)
Kwekerij Pr.
Irenelaan 14
P.O. Box 115
1400 A.C. Bussum

ITALIE

Rose Barni
51100 Pistoia
Via Autostrada 5

SUISSE

Richard Huber AG
Baumschulen
5605 Dottikon
Postcheck 50-11595-1

REMERCIEMENTS

L'auteur tient à remercier toutes les personnes qui l'ont aidé à réaliser cet ouvrage et plus particulièrement Anne Dakin, l'équipe éditoriale de Conran Octopus, Sarah Riddell, Sarah Pearce et Diane Ratcliff.

Crédits photographiques
Toutes les photographies ont été réalisées spécialement par Clay Perry, excepté les suivantes : 17 droite, Photos Horticultural ; 18, Vincent Page ; 24 en haut à gauche, Harry Smith ; 25 en bas, Photos Horticultural ; 28 en bas, David Austin.

Le photographe et les éditeurs remercient les personnes et institutions qui leur ont permis de photographier leurs jardins : Lord et Lady Carrington ; Ms A. Chambers, Kiftsgate Court, Gloucestershire ; Dr Robert Doyle, Carmel Valley, CA ; Gary Fredericks et Joey Webb, Carpentera, CA ; The Gardens of the Rose, St Albans, Hertfordshire ; Ms Z. W. Grant, Kent ; Mrs R. Green, Santa Barbara, CA ; Mr et Mrs Herbert, Casa Pacifica, San Clemente, CA ; Mottisfont Abbey, Hampshire ; Ernest B. Schultz, Palos Verdes, CA ; Ms F. L. Seton, Kent ; Mrs B. Stockitt, The Show Gardens à West Kington Nurseries, Wiltshire ; Sudeley Castle, Gloucestershire : créateur Jane Fearnley-Whittingstall ; Sharon Van Enoo, Torrance, CA.

L'éditeur souhaite également remercier : Dan Bifano, Santa Barbara, CA ; Prue Bucknall ; Jane Chapman ; Olwen Gaut ; Holly Joseph, Santa Barbara, CA ; Tony Lord ; Barbara Mellor ; Maggie Perry ; Doreen Pike ; Alistair Plumb ; Caroline Taylor ; Peggy Vance ; George Galitzine, Maxime Harrison et Boots Scott (UK) ; Maureen Fulgoni (USA).